Historical trivia that sounds like a lie but really happend

ウソみたいだけど本当にあった歴史雑学

青山 誠
Makoto Aoyama

彩図社

はじめに

小学校から高校まで、我々は授業でずっと「歴史」を習ってきた。また、受験勉強では年号や出来事を必死で丸暗記した。疑問など入り込む余地もなくただ必死に覚える。

その結果、

「歴史とはこういったものだ」

という岩のように硬い固定観念ができあがる。

しかし、学校では教えられていない、**隠された歴史の真実**というものが、じつは数多くある。下品だったり残酷だったりと、教育上問題ありと判断されたのかもしれない。また、人には公私というものもある。歴史上の人物について、教科書が触れているのは「公」の部分だけ。そこに書かれていない「私」の部分には、**耳を疑うような話**が多々ある。イメージしていた人物像が土台から崩れるような、**驚愕の歴史トリビア**だらけ。

それをあなたが知った時には、

「ホントなの!?」

これまで鵜呑みにしてきた歴史とは、あまりに違う話に驚くはず。

じつは、これを書いている私からしても、

信じられなくて、他の資料を漁って調べ直してみたりしたことが幾度もあった。しかし、いくら調べても、やっぱりそう。**ウソみたいな話なんだけど、本当なのです、**はい。

「おい、それってホントの話なの？」

日本の夜明けのために奔走した坂本龍馬とか高杉晋作とか、子どものころに憧れた維新の英雄が、実は**どうしようもない人間**だったり、古代ギリシアとかローマ帝国とか栄光の文明を築いた人々が**ヤバイ変態さんだらけ**だったり……。

知らないほうがよかったような……そんな気分になったりもする。だけど、教科書で見るよりは、人間臭くて親近感が沸いてくる。

歴史を作った人々も、私たちと同じ人間という**不完全で煩悩だらけな生き物**だ。カッコ悪いことや、情けないこと、色々とやらかしてあたりまえ。それもまたご愛嬌だ。

歴史には表面もあれば裏面もある。表には見えてこない、隠された裏の部分を顕《あらわ》にしてしまおうというのが、本書の意図するところ。それを知ることで、遠い過去の歴史に親近感が湧いてくる。好奇心は増幅され、**歴史への理解も深まってくる**だろう。たぶん。

ウソみたいだけど本当にあった歴史雑学〜目次〜

はじめに……2

第一章　日本の偉人編……11

紫式部は、漢字が書けない……12
夏目漱石は、ネコ嫌いのイヌ派……13
伊達政宗は、〝独眼竜〟ではない……14
武田信玄は、ガリガリに痩せていた……15
「真田幸村」という名の武将はいない……16
服部半蔵は、忍者ではない……17
源義経は、クズで卑怯な嫌われ者……18
源頼朝は、落馬が原因で死んだ……19
聖徳太子は天皇家のイメージ戦略の産物……20
上杉謙信は、冷酷無比の奴隷商人……21
森蘭丸は、毛深いマッチョの大男……22
豊臣秀吉の「豊臣」は、名字ではない……23
水戸黄門は、10代で殺人を犯した……24
徳川吉宗は、かなりの熟女マニア……25
春日局は、夫の愛人を刺殺した……26
平賀源内は、殺人罪で獄死した……27
遠山の金さんの刺青は、桜吹雪ではない……28
福澤諭吉は、スゴ腕の剣客だった……29
宮本武蔵は、二刀流で闘ってない……30
土方歳三の生死は、いまだ不明……31
小野小町は、極貧のすえに野垂れ死……32
西郷隆盛のキン○マは、巨大だった……33
勝海舟は、イヌに咬まれて片タマ喪失……34

坂本龍馬の本業は「死の商人」……35
新選組の死因1位は、仲間内の殺し合い……36
高杉晋作は、放火の前科持ち……37
「鬼平」と「遠山の金さん」の住所は同じ……38

第二章 世界の偉人編……39

ソクラテスは、読み書きできない……40
「ピタゴラスの定理」は、別人が考えた……41
モーツァルトは、ウンコが大好き……42
ジャンヌ・ダルクの処刑は、ズボンが理由……43
マリー・アントワネットは、本当に巨乳……44
エジソンは、「パクリの王様」……45
ネコ用ドアの発明者は、ニュートン……46
啓蒙思想家のルソーは、ド変態……47
皇帝ナポレオン1世は、イタリア人……48
帝政末期のロシアにターミネーターが出現……49
クレオパトラは、エジプト人ではない……50
クレオパトラは、○○の達人だった……51
カバに殺されたエジプト王がいる……52
スイカ割りの考案者は、諸葛亮孔明……53
楊貴妃は、デブで陰毛がボーボー……54
明の洪武帝は、「禿」と言うと大激怒……55
『千夜一夜物語』のアラジンは、中国人……56
オスマン帝国の皇帝は、奴隷の子……57
フロイトは、患者を麻薬漬けにした……58
アインシュタインは、大統領を断った……59
ミッキーマウスは、ネズミではない……60
ヒトラーは、日本の納豆が大好物……61
ヨシフ・スターリンは、「偽名」だった……62
チャーチルは、ヘミングウェイに勝った……63
ヘミングウェイには〝大統領〟の弟がいる……64
錬金術師になったナチスの研究者がいる……65
フィンランドの首相は、〝アホ〟だった……66

第三章　政治と制度編……67

平安時代は、ネコが人より偉かった……68
くじ引きで選ばれた征夷大将軍がいる……69
室町時代の一時期、広島に幕府があった……70
江戸時代の大名の7割が、愛知県出身……71
「士農工商」という身分制度は存在しない……72
享保の改革は、格差を招いた失敗政策……73
明治新政府は、国民のウケが最悪だった……74
ハワイと日本の〝連邦国家計画〟があった……75
広島で「国会」が開かれたことがある……76
戦前は、富士山よりも高い山があった……77
大正期に、徳川内閣が誕生しかけた……78
日露戦争の借金は、返済に80年かかった……79
戦時中、長野への首都移転計画があった……80
ナチスと南アでは、日本人は名誉白人……81
〝東ローマ帝国〟は、存在しない幻の国……82
ローマ帝国は、「鉛」によって滅びた……83
イギリスの公用語は、フランス語だった……84
スペインは、イスラム教国だった……85
サマータイムは、ジョークから始まった……86
カナダ人は、独立記念日を間違えている……87
ホワイトハウスは、もともと白じゃない……88
禁煙運動は、ナチス・ドイツが最初……89
イスラム教は、女性思いのフェミニズム……90
中国最古の殷王朝、実は全然違う名前……91
台湾の首都は、「台北」ではない……92

第四章　文化と風習編……93

『日本書紀』は、日本初のBL小説……94
奈良時代は、箸よりスプーンが主流……95
現存する世界最古の印刷物は、日本製……96

梅雨は、戦国時代まで存在しない……97
戦国時代、城は食べものだった……98
江戸時代の庶民も、名字を持っていた……99
切捨て御免は、武士のリスクが高すぎる……100
江戸時代の喪服は、黒ではなく白……101
江戸時代にも、バイアグラが大ブーム……102
江戸の街では、フードファイトが大流行……103
「ヤバい」は、江戸時代発祥の隠語……104
セーラー服は、ムラムラ防止のために導入……105
中止になった幻の札幌冬季五輪がある……106
戦後、日本政府直営の売春施設があった……107
てるてる坊主の由来は、僧侶の生首……108
「幸」という漢字の成り立ちは、とても不幸……109
紀元前3世紀には、自販機があった……110
世界初の蒸気機関は、紀元前1世紀に誕生……111
古代ローマでは、包茎が美男子の条件……112
古代エジプトでは、ハイエナはペット……113
中世の欧州では、喫煙すると褒められた……114
バレンタインデーの起源は、血ナマ臭い……115
ボウリングの元は、悪魔祓いの宗教儀式……116
中世ヨーロッパでは、ネコ好きは死刑……117
中世ヨーロッパで、ブタの裁判があった……118
ロダンの『考える人』は、何も考えていない……119
絵画や彫刻もオリンピックの種目だった……120
わざとマラリアにかかる治療法が存在……121
「相対性理論」は、信じられていなかった……122
第五章 戦争の実態編……123
戦国時代の日本は、世界有数の軍事大国……124
戊辰戦争では、刀より銃が強かった……125
明治時代にも『大和』『武蔵』があった……126
日露戦争は戦死者より、病没者の方が多い……127
電子レンジは、日本海軍が開発……128

日本軍は、ハイテク竹槍を開発していた……129
太平洋戦争でも、〝神風〟は二度吹いた……130
第二次世界大戦の死者数、日本は5番目……131
日本国民が零戦を知ったのは、終戦の直前……132
終戦記念日が「8月15日」なのは日本だけ……133
太平洋戦争後、日本は戦争したことがある……134
古代ギリシア軍最強は、ゲイの精鋭部隊……135
最強のエジプト軍は、ネコに撃破された……136
バケツが原因で起きた戦争がある……137
海軍を持たない国が勝った海戦がある……138
王様と王妃がガチで戦った戦争がある……139
史上最長の戦争は、335年もつづいた……140
初のロケット兵器の開発は、18世紀のインド……141
イギリスにも大和級の巨砲軍艦があった……142
18世紀建造で、未だ現役の軍艦がある……143
「どーぞ」「どーぞ」で始まった戦争がある……144
世界最短の戦争は、わずか38分で終結……145
アメリカの戦死者、最多は南北戦争……146
第一次世界大戦の原因は、運転手のポカ……147
野良犬が原因で、起きた戦争がある……148
ティッシュペーパーは、戦争の発明……149
イギリス軍は、氷山で空母を作ろうとした……150
B-29の初空襲は、タイのバンコク……151
米軍に富士山を赤く染める計画があった……152
戦後の中華民国海軍の旗艦は、日本製……153
米軍は本気で「SEX爆弾」を研究していた……154
サッカー試合が原因で、起きた戦争がある……155
トヨタ車が、戦車部隊を破った戦争がある……156

第六章 事件・出来事編……157

元寇は、デマが原因で起きた……158
日本初の結婚詐欺は、鎌倉時代に発生……159
平安時代には、日本でもマラリアが蔓延……160

地震で滅びた戦国武将がいる……161
農民に滅ぼされた戦国大名もいる……162
日本のイルミネーションは信長が最初……163
秀吉は世界最強のスペインをビビらせた……164
『忠臣蔵』の吉良上野介は、不幸な被害者……165
浜松には「徳川家康食い逃げ伝説」がある……166
江戸時代に自ら脱藩した殿様がいる……167
明治新政府の初仕事は、「公文書の偽造」……168
大日本帝国憲法は、盗まれたことがある……169
軽井沢の別荘ブーム、火付け役は日中戦争……170
チャップリンは日本で暗殺されかけた……171
最初に「容疑者」と呼ばれたのは、田中角栄……172
実際の「最後の晩餐」、絵画とはだいぶ違う……173
キリストは、十字架を自分で運んでいない……174
フランス革命の原因は、浅間山の大噴火……175
ヴェルサイユ宮殿は、不倫目的で建てた……176
英国がナポレオンの妻の浮気をスクープ……177
18世紀のロンドンで、ビールの洪水が発生……178
ボストンでは、シロップの大洪水が発生……179
〝スペイン風邪〟の発生源は、アメリカ……180
「マフィア」の意味は「フランス人を皆殺し」……181
世界初の放射能流出事故は、パリで発生……182
ベルリンの壁は、勘違いで壊された……183
幻の〝黒いタージ・マハル〟計画があった……184
唐代の中国には、人肉市場があった……185
文化大革命では、10万人が食べられた……186

第七章 意外な事実編……187

〝卑弥呼〟は、かなり失礼な当て字……188
〝三蔵法師〟は、日本にもいた……189
西行法師は、〝人造人間〟を作った……190
〝鉄砲〟は、鎌倉時代に伝来していた……191
戦国武将の死因第1位は、〝梅毒〟……192

戦国時代にも、クリスマス休戦があった……193
戦国時代にも、従軍慰安婦がいた……194
武田騎馬軍団の馬は、小さなポニー……195
信長は秀吉を「サル」と呼んだことはない……196
桃山時代に、大名の間でコスプレが流行……197
伊賀忍者と甲賀忍者、実は仲良し……198
「義経＝チンギス・ハン」説、シーボルトが考案……199
新選組の制服は、地味な黒服……200
京都には、〝銅閣寺〟もある……201
キラキラネームの元祖は、森鴎外……202
「青年よ、大志を抱け」とは言っていない……203
『ゴールデンカムイ』の主人公は実在する……204
ロンドンまで飛んだ日本軍の偵察機がある……205
日本の寒天が原因で、医療危機が発生……206
東京タワーは、戦車でできている……207
ディズニーランド〝富士山麓〟計画があった……208
「豚に真珠」は聖書に由来することわざ……209
悪魔より神様の方が、大勢を殺している……210
「地球は丸い」は、古代ギリシアの常識……211
アメリカ大陸の発見者は、コロンブスではない……212
マゼランは、実は世界一周していない……213
ルソーが日本の軍歌を作曲していた……214
第一次世界大戦の賠償金、2010年に完済……215
「ジハード」を「聖戦」と訳すのは誤り……216
「天高く馬肥ゆる秋」は、不吉な予言……217
清の役人は、銀を尻の穴に隠して横領……218
上海ガニは、戦乱のときに美味しくなる……219
参考文献……220

【第一章】

「ホント!?」と驚く歴史雑学

日本の偉人編

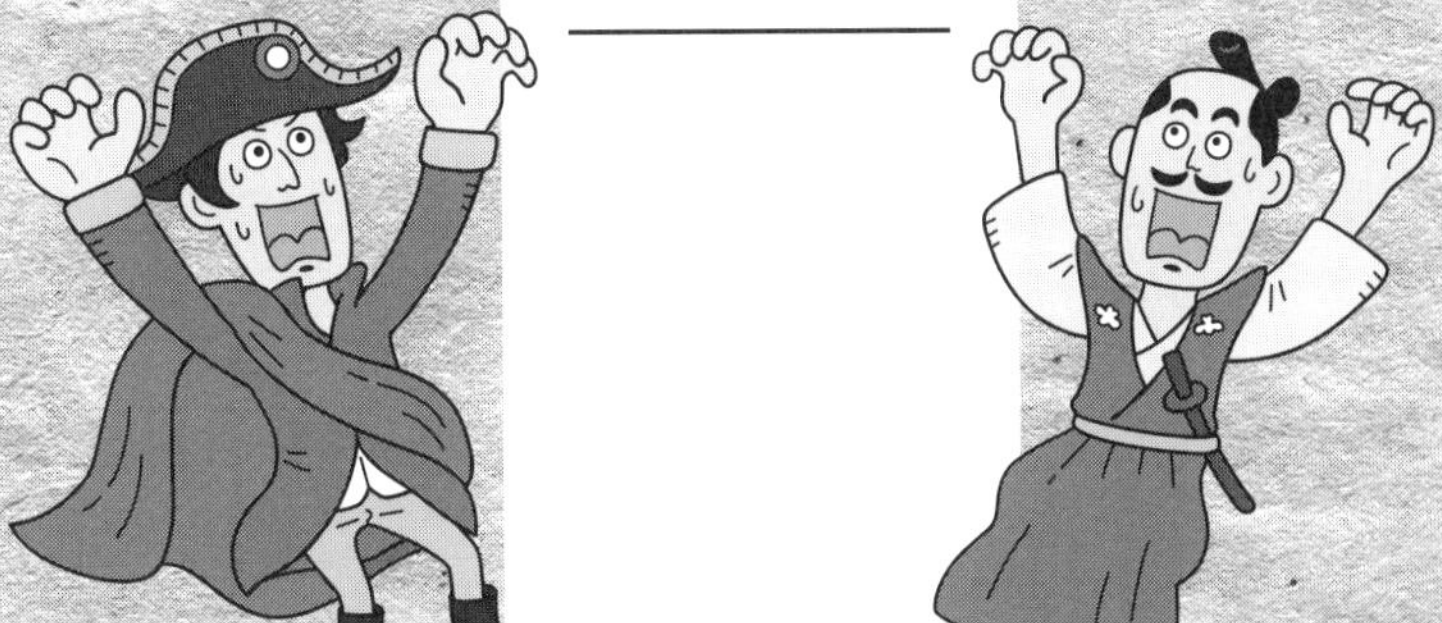

No.001

日本文学史を代表する天才作家の意外な弱点!?

紫式部は、漢字が書けない

平仮名という簡単で便利な表音文字が発明されたのは、**平安時代初期の8世紀末頃**といわれる。官職にある男性は漢字で公式文書を作成せねばならないが、女性はあえて難しい漢字を覚える必要がない。このため漢字を書けない女性も多かったという。**世界最古の長編小説『源氏物語』**の作者で、平安朝を代表する女流作家・**紫式部**にもその疑惑がある。

紫式部のライバル・**清少納言**は歌会などで**漢字をよく使った**という。それに対して式部は、

「私もホントは漢字書けるけど、書けないフリしているのよ。女性が漢字を使うのは知性をひけらかすみたいで、嫌味な感じがするから」

などと言ったとか。なにやら、**負け惜しみ**のようにも聞こえてくる。

『源氏物語』には漢字も多く使われている。まったく漢字が理解できない人物の作とは思えないのだが……しかし、**現存する『源氏物語』はすべて後世の写本**。オリジナルは発見されていない。書き写した時に読みやすいよう漢字を加えたとか、式部が語るのを口述筆記したということが考えられる。そもそも『源氏物語』の作者が紫式部というのは**あくまで通説**。確たる証拠はない。彼女の筆跡が発見されたら謎はすべて解決するのだが。

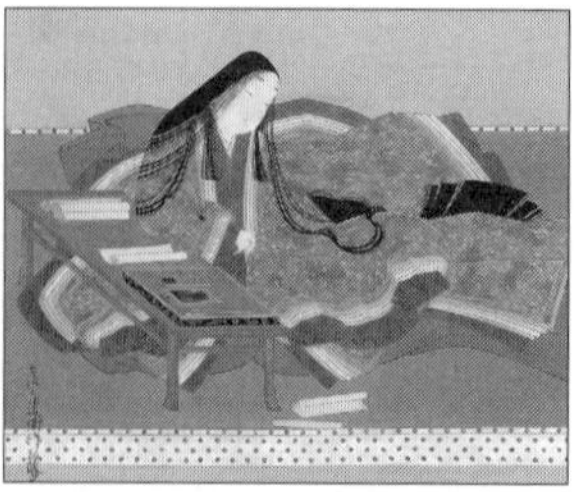

紫式部（土佐光起画）

『吾輩は猫である』を書いたのに…

夏目漱石は、ネコ嫌いのイヌ派

No.
002

夏目漱石の代表作といえば、やっぱり**『吾輩は猫である』**だろう。主人公である雄ネコの飼主・珍野苦沙弥のモデルは漱石本人で、**実際に家ではネコを飼っていた**。それだけにネコ好きかと思いきや、実はそうではないらしい。まず『吾輩は猫である』の冒頭の一文を思い出してもらいたい。

「吾輩は猫である。名前はまだ無い」

そう、漱石は飼ネコに名前をつけていなかった。昔はそういったことに無頓着で、飼ネコを「ネコ、ネコ」と呼んで名前をつけない人も多かったというが、夏目家ではイヌも飼っており、こちらには漱石が直々に「**ヘクトー**」という名を付けていた。古代ギリシアの長編抒情詩『イリーアス』に登場する王の名前からとったもの。名前をつけてもらえないネコからすれば「この差は何!?」って感じだろう。小説の中でも飼い主の珍野苦沙弥は、ネコには無関心。「**彼はネコよりイヌのほうが好きだった**」という漱石の知人による証言もあり、ネコ派ではなくイヌ派だったことは間違いない。

『吾輩は猫である』を発表してからは、教鞭を執る帝国大学では**学生から「ネコ」と渾名《あだな》**されたり、**家の表札にネコの絵を落書き**されたりすることもあったという。そういうこともあり、すっかりネコが嫌いになったとも言われている。

夏目漱石

No.003

「眼球を自ら取り出して食べた」……伝説は後世の創作!?

伊達政宗は、〝独眼竜〟ではない

伊達政宗は5歳の時に天然痘を患い、**その後遺症で右目を失明**したといわれる。少年期にはコンプレックスとしていたが、奥州を支配する大大名となってからは「**独眼竜**」の異名で、その隻眼も畏敬の対象となった。江戸時代の頃になると「**視力を失った眼球を自ら取り出して食べた**」などと、政宗の右目に関する様々な伝説が流布するようにもなる。

本当に片目を失っていたかどうか、それについては**疑わしいところが多々あり**。ドラマやゲームに登場する政宗のように**眼帯をしていたという記録はどこにも見あたらない**。昭和49年（1974）に政宗の墓所である瑞鳳殿《ずいほうでん》の発掘調査が行われ、発見された政宗の遺骨も調査した。この時に、右目眼窩《がんか》には異常が見られず「**眼球を取り出した**」**話は否定**されている。

政宗は隻眼ではなかった。しかし、右目に何らかの不具合を抱えていたのは、多くの文献から間違いないところ。近年の研究では、政宗は**オッドアイ（虹彩異色症）だった**という説がある。イヌやネコには左右の瞳の色が違うオッドアイは比較的多い。人間では珍しいが、デヴィッド・ボウイなどの有名人にもオッドアイの人物は存在する。

オッドアイは目の機能には問題はなく、政宗がそうであれば、**両眼ともにはっきりと見えていたはず**だ。

眼帯をしていない、伊達政宗像

No.004

有名な信玄の〝太った〟肖像画は人違い!?

武田信玄は、ガリガリに痩せていた

武田信玄といえば、**でっぷりと太った人物**を想像してしまう。そのイメージは、かつて中学校や高校の歴史の教科書に載っていた武田信玄の肖像によって造られたものだろう。高野山成慶院が所蔵するもので、武田信玄像としては最も有名。甲府駅前の信玄銅像をはじめ、あらゆる信玄像はこの絵をモデルにしている。

しかし、近年の研究で**この肖像画は別人の可能性が高くなった**。そもそも描かれている家紋からして、武田家の四割菱《よつわりびし》ではない。このため最近の教科書も「武田信玄像」ではなく「**伝武田信玄像**」と訂正してある。

実在の信玄は、**肖像画とは真逆の細身の人物**だったといわれる。彼は若い頃から結核の病に侵されていた。体が痩せて肌が白くなるのが、この病気の特徴である。おそらく信玄もそうだったはず。

ちなみに、高野山成慶院のものと比べたら、かなりマイナーだが、高野山持明院にも信玄の肖像画がある。その肖像は頬が少しこけて体も痩せているように見える。「武田晴信像」とあるので**出家前の若い頃を描いたもの**だろう。人物の服には四割菱の家紋が描かれ、成慶院の信玄像よりは信憑性が高いように思える。

信玄の父・武田信虎晩年の現存する肖像も**ガリガリに痩せている**。その遺伝子を受け継いだ信玄も痩せていたと考えるべきだろう。

武田（晴信）信玄像

No.
005

ゲームやアニメで人気の武将は実在せず？

「真田幸村」という名の武将はいない

真田幸村といえば、**大坂の陣では家康を討死寸前のところまで追い詰めたヒーロー**。アニメやゲームのキャラクターとしても絶大な人気を誇っている。

しかし、この**〝真田幸村〟は実在しない**。我々が幸村だと思っていた人物は、その本名を「真田信繁」という。信濃の大名・真田昌幸の次男で、「源次郎」「左《さ》衛門佐《えもんのすけ》」などと名乗った。父の昌幸は弱小勢力ながら独立大名として生き残ったが、信繁はその犠牲となり、上杉景勝や豊臣秀吉の人質となって暮らしていた。

若い頃の記録はほとんどない。ある意味、**謎の人物**。それが突如として大坂城に現れて、徳川の大軍相手に大活躍を演じたのだから、当然、人々の注目は集まる。江戸では信繁をモデルにした物語が出版され、芝居もさかんに上演された。しかし、徳川が支配する世で、家康に歯向かった男の名をそのまま使うのはリスクがある。信繁の名は伏せて架空の人物名が使われた。そのひとつが、**我々のよく知る真田幸村という名**である。

幸村の名が初めて登場するのは、大坂の陣から半世紀以上が過ぎた寛文12年（1672）のこと。同年に出版された軍記物**『難波戦記』**の主人公の名だったが、本がベストセラーとなったことで定着。後世の者がそれを本名と錯覚するようになったようである。

真田信繁

No.006

伊賀忍者の頭領は誤解?

服部半蔵は、忍者ではない

最も有名な忍者は誰かと問われたら、まず思い浮かぶのは**服部半蔵**の名前。だが、実は半蔵は忍者じゃなかった。戦国時代の忍者は、大名の求めに応じて伊賀や甲賀などから派遣された**傭兵**。一方、服部半蔵は傭兵ではなく、**徳川家に仕える家臣**である。

服部家の始祖は伊賀国の「服部《はっとり》」という地に住む土豪と伝えられる。家康の祖父・松平清康が上洛した時、服部半蔵保長が清康に臣従して三河国に移り住む。この後、徳川家では**伊賀者の傭兵を同郷者の半蔵に指揮**させた。しかし、正成は傭兵でなく徳川家の家臣で、石見守《いわみのかみ》という官名もある。また、黒装束の忍者とは違って、戦場では武士の正装である甲冑を着込んでいた。

服部家代々の当主は半蔵を名乗っている。2代目の半蔵正成、3代目正就《まさなり》の代になると、家康の天下獲りへの貢献が讃えられて江戸城の城門のひとつに**「半蔵門」の名がつけられた**。服部家は旗本として引き続き伊賀者200人を束ね、この後も代々が半蔵を名乗りながら最盛期には1600石まで加増され、年寄の役職を与えられた。

服部家は江戸時代後期に桑名藩に移り家老となった。幕末の戊辰戦争では第12代・服部半蔵正義が藩兵を指揮して新政府軍と戦ったが、正義には子がなく**彼の代で服部家は断絶**した。

服部半蔵正成

No.007

平家を倒した悲運のヒーローの残念な素顔

源義経は、クズで卑怯な嫌われ者

強大な平家の軍勢を倒した天才軍略家、そして、悲運のヒーローというのが、我々が抱く源義経のイメージ。だが、それは後世の創作。同時代に生きた者には**「どうしようもないクズ」**と映っていたようである。

当時の合戦には暗黙のルールがあった。たとえば、戦いの場所と時間をあらかじめ決めて、双方が鏑矢《かぶらや》（音の鳴る矢）を放って戦闘開始の合図をするというもの。

しかし、**義経はこれを平然と無視**。一ノ谷の戦いでは背後の崖を駆け下り、奇襲攻撃で敵勢を殲滅《せんめつ》した。非戦闘員を殺傷しないのもルールだったが、壇ノ浦合戦では**敵船の水夫を射殺**して戦いを優位に進めている。

あまりに卑怯ではないか……と、これには味方もドン引き。また、この頃の武将は名誉をことのほか重んじ、一騎打ちを挑まれたら正々堂々と受けねばならなかったが、義経は壇ノ浦合戦で敵将・平教経に一騎打ちを挑まると、**舟から舟へ飛び回りながら逃げた**。部下たちは「情けない」と赤面し、好感度はさらに下がる。

また、義経は他人の感情に疎く、空気が読めなかった。連戦連勝で有頂天になり、**許可なく官位を受ける**など勝手放題。頼朝の逆鱗に触れて兄弟対決となったが、**義経に味方する武士はいない**。悲劇のヒーローというよりも、自業自得といった感が強い。

源義経

武士にとってあまりに恥ずかしい死因

源頼朝は、落馬が原因で死んだ

No.
008

源義経の異母兄である源頼朝も、当時は現代人のイメージと真逆。こちらは**公明正大で頼りになる親分として信頼**されていた。私闘に明け暮れていた東国の武士をまとめて、平家を滅ぼした後、日本全土の武士から支持を集めて朝廷を圧倒。やがて征夷大将軍に任じられた頼朝は、鎌倉に幕府を開く。と、ここまでは誰もがよく知る源頼朝のサクセス・ストーリー。だが、その後の彼はどうなったかについて知る人は少ない。織田信長や徳川家康、豊臣秀吉の死様は知っている人も多いのだが、頼朝の場合はどうだったのか？

頼朝の死際があまり知られてないのは、**意図的に隠そうとしたせい**なのかも。頼朝は建久10年（1199）1月13日に51歳で死去しているが、この1週間ほど前に彼は**落馬して大怪我**をしている。この時に脳出血を起こし、それが死因だといわれる。

馬術は武士に必要不可欠の技術。武家の棟梁ともなれば、馬を上手に乗りこなさねばならない。しかし、頼朝は橋の落成供養に出席した帰り道、**のんびり歩いている馬から転げ落ちてしまった**のだ。一説によれば、突如、馬が大暴れして頼朝を振り落としたともいわれるが……落馬の事実は、**武士としてはかなり恥ずかしい**。本人や関係者には、あまり公にはしたくない話だったのだろう。

源頼朝（中村不折画）

No.009

天皇家の好感度アップのために作られた超人

聖徳太子は天皇家のイメージ戦略の産物

旧1万円紙幣の肖像としても馴染み深い**聖徳太子**は、敏達天皇3年（574）に第31代用明天皇の皇子として生まれた。本名は厩戸豊聡耳皇子《うまやどのとよさとみみのみこ》。「**厩戸王**《うまやどのおう》」として記録に残っている。

厩戸王は推古天皇30年（622）に亡くなり、それから約半世紀後に壬申の乱が起こる。勝った大海人皇子《おおあまのおうじ》は第40代天武天皇として即位するが、骨肉の争いを繰り広げてきた天皇の求心力は著しく低下している。そこで天武政権は様々なイメージ戦略を実行する。そのひとつが**「聖徳太子」の創出**だった。

厩戸王が生きた時代は、古代王朝が中央集権国家に急成長する過渡期。その過程で十七条憲法や冠位十二階の制定、遣隋使派遣などの歴史的大事業が行われた。天武政権はそれらをすべて**厩戸王の手柄として書き換えた**。その時代に生きていた皇族を伝説のスーパースターに仕立て上げることで、**天皇家の好感度アップと権威回復を狙った**。と、近年はそう考える歴史研究家が多い。

聖徳太子は、生前の功徳《くどく》を称えてつけられた尊称とされているが、この名が世に出てくるのも**天武政権以降のことだ**。天平勝宝3年（751）編纂の『懐風藻《かいふうそう》』に「聖徳太子」の名が見つかるが、**現在のところそれよりも古い記録は存在しない**。

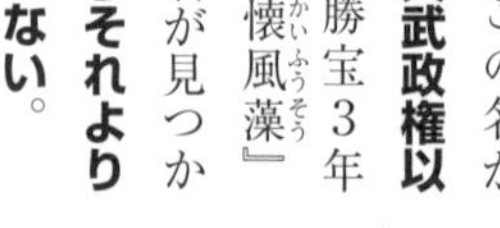

旧一万円札に描かれた聖徳太子

No. 010

関東遠征の本当の目的は略奪と誘拐!?

上杉謙信は、冷酷無比の奴隷商人

上杉謙信は、武田氏や北条氏に侵略された弱小勢力を救援するため、信濃や関東への出陣を繰り返した。自分の欲望ではなく**正義のために戦いつづけた「義将」「仁将」**と、今ではそんなイメージがすっかり定着している。たしかに謙信は、他の戦国大名のように領土的野心を持たなかった。しかし、**領土以外のところでは、強欲な収奪**を行っている。謙信に蹂躙《じゅうりん》された土地に生きる者からすれば、信玄や信長と同じ。いや、**それ以上に残酷な侵略者**だった。

そもそも上杉謙信が毎年のように関東へ遠征したのは、**"出稼ぎ"が目的**である。当時の越後は耕地が少なく、春先になると食料不足が起こる。そこで農閑期になると農民兵を引き連れて関東へ侵攻した。他領では略奪行為も許され、農民たちは不足する食料を持ち帰り、村の窮地は救われるというわけだ。

謙信の軍団は食料や金品だけではなく、**そこに住む人間を捕虜として連行**している。当時の日本各地では奴隷売買が行われ、そのための市も開かれていた。謙信は戦争捕虜を奴隷として売り、戦費の足しにした。**村人を根こそぎ捕らえて売り飛ばす**ことも珍しくはなかったとか。そのため上杉軍団が関東に遠征した年には、**奴隷の数が急増**。あまりに増えすぎて価格が大暴落したという。

上杉謙信

No.011

織田信長が愛した美男子の本当の姿

森蘭丸は、毛深いマッチョの大男

明治維新後にキリスト教文化が入るまで、男色はタブーではなかった。とくに戦国武将は男色を好む者が多く、その経験がない豊臣秀吉などはむしろ珍しがられている。情の通った肉体関係となれば主従の絆は強まり、**裏切りの抑止効果**がある。主君の側に仕える小姓は軍事機密に触れることも多い。それだけに主君は、**小姓に肉体関係を求めるのが常**だったという。

男色関係にあった主君と小姓で、最も有名なのは**織田信長と森蘭丸**だろう。蘭丸は17歳の時に5万石の大名となっている。彼は有能な秘書官でもあったのだが、能力だけでこれだけのスピード出世を遂げられるものではない。やはり信長の寵愛あればこそ。また、普通は15歳頃に元服して小姓も引退となるのだが、蘭丸の場合は本能寺の戦いで討死する18歳まで、前髪を下ろした小姓姿のまま。信長は元服を許さず彼を側に置きつづけたのだ。かなり執着していたようである。信長と蘭丸がその関係にあったのは間違いないところ。

だが、その蘭丸の実物は、ＢＬ小説に描かれるような美少年ではない。**身長は１８０センチ**を超え、当時としては巨人の部類。くわえて**筋肉質の太マッチョ、毛深く男臭がむんむん漂う男**だった。対して信長は色白で細身……信長が抱くというより、蘭丸に抱かれる関係だったのではないか？

森蘭丸（『太平記英勇伝』）

No.
012

豊臣になった後もずっと〝羽柴〟のまま…

豊臣秀吉の「豊臣」は、名字ではない

現代の日本人の名前は、個人名と家族を表す「名字」のふたつで構成される。しかし、昔の日本人はこのふたつに加えて「**姓**」を持つ者がいた。

「姓」とは自分の出自とする氏族の名。祖先を同じにする者たちの集団を意味し、姓によって朝廷内でどんな地位に就けるのかも決まっていた。**姓はその者の身分を表すもの**であり、貴族や武士は必ず姓を持っていた。

たとえば、平氏を出自としている織田信長は、公式文書などには必ず「**平信長**」と署名していた。征夷大将軍の地位に就けるのは清和源氏の血を継ぐ者と決められていたため、徳川家康は、自らの出自を源氏として「**源家康**」を名乗っていた。

そして、豊臣秀吉の「**豊臣**」**もまた姓**である。摂政と関白の地位は藤原氏の一族しか就くことができない。そこで秀吉も近衛家の養子となって藤原姓を称し、その後、新たに作られた豊臣姓を朝廷から賜るという手順を踏んだ。つまり、豊臣は姓であり名字ではない。

秀吉は北近江12万石の大名となった時に、木下から羽柴に改名しているが、天下人になってからもそれは変わらない。**名字はずっと羽柴のままだった**のである。平信長ではなく織田信長、源家康ではなく徳川家康と呼ぶのならば、豊臣秀吉もまた羽柴秀吉のままにしておくべきでは!?

豊臣秀吉

No. 013

水戸黄門は、10代で殺人を犯した

勧善懲悪のイメージとは真逆の極悪な青年時代

庶民を装い世直しの旅、弱気を助けて悪人たちを懲らしめる。水戸光圀といえば、やっぱりテレビ時代劇『水戸黄門』の正義の味方なイメージがある。しかし、実像の光圀はそれとは真逆。**とんでもない人物だった**。

水戸藩主は参勤交代の義務がなく、江戸定府で将軍を補佐することになっていた。それが〝天下の副将軍〟を自称した所以でもある。光圀もまた人生のほとんどを江戸で暮らした。昔から都会には若者を誘惑する悪い遊びが多く、彼もまた**遊び好きな不良の若殿**になってしまう。短気で粗暴なところがあり、くわえて体力も人一倍というから手がつけられない。

水戸藩の次期藩主でありながら、町中で喧嘩するのも日常茶飯事。父から貰った名刀の切味を試したくてウズウズし、ついに抑えきれなくなり**辻斬りをしてしまう**。観音堂付近には多くの浮浪者が野宿しており、**悪友たちとこれを襲って斬り殺した**のである。

当時**まだ16〜17歳だった**というから末恐ろしい。家臣たちも頭を抱えたが、18歳の時に司馬遷『史記』を読んで**「こんなことやってたらダメだ」と急に改心**。勉学に熱中するようになったという。もしも『史記』を読んでなければ、おそらくワルのまま……悪くすれば改易されて、あの名作時代劇も生まれることはなかっただろう。

水戸光圀

大奥から若い美人を追い出してしまう…

徳川吉宗は、かなりの熟女マニア

No. 014

江戸時代中期、大奥には将軍の側室や女中など約4000人の女性が暮らしていた。その食費や衣装代、給金などの経費は、幕府の支出の10%に迫っていた。

第8代将軍・徳川吉宗は、これが幕府財政を悪化させた要因のひとつと考え、**大奥の大規模なリストラを決断**する。2000人以上の女性たちを解雇することになったのだが、最初に首切り対象となったのは、美人と評判だった50人。つづけて若い女や、ビジュアルの良い女から順番に解雇したため、リストラ完了後の大奥は**熟女とブスだらけ**になってしまった。この措置は、

「美人は大奥をクビになっても、すぐに嫁ぎ先が決まるから心配ない」

という吉宗の温情によるものとされている。しかし、ホントは彼の個人的好みが反映されていたという疑惑もある。つまり**吉宗は熟女とブスが好みだった**、と。

初代将軍・徳川家康が**年配の未亡人を好んで側室に迎えた熟女マニア**だったのは有名。しかも色黒でガッチリとした女性が好みで、時の感覚からすれば**かなりのマニア**といえる。

徳川吉宗は、**家康の再来**と噂されるほどに、その気性がよく似ていたといわれる。熟女好み、ブス好みの性癖も、受け継いでいた可能性はある。

徳川吉宗

No. 015

将軍の乳母に隠された悲しい過去

春日局は、夫の愛人を刺殺した

江戸幕府第3代将軍・徳川家光の乳母となり、大奥を支配して絶大な権勢をふるった春日局だが、**その前半生はかなり悲惨**なものだった。明智光秀の重臣だった父・斎藤利三は、本能寺の変後に逆賊として捕らえられて処刑された。彼女は父が処刑されるところを見て、生涯トラウマをかかえるようになる。**磔《はりつけ》あるいは車裂きという極刑**だったというから、かなり凄惨なものだったはずだ。その後は各地を流転するが、どこに行っても逆賊の娘と蔑まれ辛酸をなめた。そんな境遇が彼女を強くする。また、自分の立場を守るためなら人殺しさえも厭わぬ非情さも身につけたようだ。

出自のせいで婚期も遅れたが、小早川秀秋の家臣・稲葉正成の後妻に嫁ぐことになる。しかし、**この夫がまたダメ人間**。小早川家が改易されて無職となるが、金もないのにあちこちで女遊びして、愛人を家に連れてきて住まわせた。これには春日局もついにキレる。

怒りが頂点に達した彼女は、懐から小刀を取り出すと、**夫の愛人を刺殺してしまう**。この時代でも殺人は大罪。そのため彼女は屋敷の裏門から逃走。しばらく上方に潜伏した後に、将軍家が乳母を募集しているという話を聞きつけて江戸に上り、**次期将軍・家光の乳母となった**のである。

春日局

No.016

江戸の発明王も晩年は散々だった…

平賀源内は、殺人罪で獄死した

〝エレキテルの発明者〟として知られる平賀源内。**「土用の丑の日」**のキャッチコピーの発案者としても知られ、また、鉱山開発も手掛けるなどマルチな活躍をみせている。だが、同時代に生きた人々の源内に対する印象は、**あまり良いとは言えない**。

彼の発明とされるエレキテルも、実は長崎で見つけて購入したオランダ製の電気治療器具を復原しただけ。「箱の中から雷がでる」と人々は驚いたが、**源内にもその原理は分からない**。それでもエレキテルは評判になり、彼の名も知られるようになる。その後は様々な事業に手を出すが、**失敗のほうが多かった**。安永8年（1779）に大名屋敷の修繕を請け負った時にも、**設計図を紛失する失態**を演じる。それを「大工が盗んだ」と疑い、酒を飲んだ勢いで棟梁と大喧嘩。あげくに刃物を抜いて振りまわし、**2人の大工を殺してしまう**。

当然、捕縛されて伝馬町の牢屋に入れられた。江戸時代の刑法では、1人でも殺せば死刑である。源内が有名人ということもあり、奉行所は状況的に情状酌量の余地があるかどうか、慎重に調査を行った。

しかし、牢獄の環境は劣悪で源内は入牢から約1ヶ月後、大工たちと争った時にできた傷口から破傷風に感染。**判決が出る前に死亡してしまう**。囚人のために葬儀の許可も下りず寂しい最期だった。

平賀源内

No. 017

遠山の金さんの刺青は、桜吹雪ではない

描かれていたのは、ふためと見られない恐ろしい図柄

「この**桜吹雪**が目に入らぬか！」

と、片肌脱いで、悪人たちを睨んで見得を切る。テレビの時代劇『遠山の金さん』でお馴染みのシーンである。金さんのモデルとなった江戸町奉行・遠山金四郎景元《かげもと》は実在の人物。刺青に関してはフィクションと思いきや、**実在の遠山金四郎にも刺青があった**のだ。

金四郎は５００石の旗本・遠山景晋《かげくに》の長男に生まれている。しかし、その**家庭環境はかなり複雑**で、家督は養子が存続することに。怒った金四郎はグレて家を飛び出した。刺青を入れ、愚連隊とつるむようになる。しかし、同い年の養子が亡くなったことで人生逆転。36歳で遠山家の家督を相続し、奉行に出世していくのだが、若気の至りで入れてしまった刺青は残った。

だが、その刺青の図柄は桜吹雪ではなかったようだ。金四郎はドラマにあるように人前で片肌脱ぐことはなく、むしろ普段も着物の袖を気にして、**人前では絶対に肌を見せなかった**。彼の刺青をはっきりと見た者は少なく、そのためどんな図柄だったかについては、ふたつの説がある。ひとつは、**髪を振り乱して恨めしそうな顔をした女の生首**。もうひとつは、**髑髏《どくろ》と蛸を描いたもの**。いずれにしても……、かなり不気味な図柄である。これを見せて悪人たちに凄めば、桜吹雪よりも効果絶大ではないか!?

遠山金四郎景元

一刀流だけじゃなく、居合術まで習得…

福澤諭吉は、スゴ腕の剣客だった

No. 018

福澤諭吉は中津藩士だったが、蘭学の知識を評価した幕府にヘッドハンティングされて、幕臣となり咸臨丸《かんりんまる》で渡米した。維新後は欧米事情通として新政府から重宝された。慶應義塾（慶應義塾大学の前身）を創立した**日本で最も有名な教育者**でもある。

少年時代は『論語』『孟子』などを熟読して漢学の勉強に励み、青年期には長崎に留学して蘭学、兵器学などを学んだ。まさしく勉強の虫。武家社会も武芸より学問の素養が出世を左右するだけに、江戸時代になると剣術をまったくやらず、勉強に明け暮れる若者は多かった。が、福澤は違った。勉強もできるが、剣術の腕もかなり立つ。**一刀流の使い手で、居合抜きの修行にも励み、免許皆伝の腕前**になっている。

この居合術は**いざという時に繰り出す秘技**として、隠していたようである。

幕末期は治安が極度に悪化している。福澤のように蘭学を学ぶ者は、尊皇攘夷派による暗殺の危険も常にある。居合抜きは最強の護身術だ。相手が不用意に飛び込んでくれば**一撃必殺のカウンター攻撃**になる。維新後は廃刀令が公布され治安状況は改善されたが、しかし、**福澤は毎日欠かさず剣の修練に明け暮れていた**というから、身を守る目的だけではなく、剣術愛のほうもかなり強かったようではある。

福澤諭吉

No. 019

宮本武蔵は、二刀流で闘ってない

肝心な試合のときは、いつも一刀流

戦国時代から江戸時代初期の頃、腕自慢の浪人が剣術の流派を立ち上げるのが流行った。有名なのが**剣豪・宮本武蔵によって創設された二天一流**だろう。大小2振りの刀を両手に持って戦う、かなり珍しい流派。宮本武蔵の代名詞でもある。

しかし、武蔵は**決闘の場でこの二刀流を用いることは少なかった**という。武蔵の弟子が書いた伝記『二天記』によれば、**決闘ではほとんど一刀流を用いている。**

二天一流は大小の二刀を持って構えるのが基本。しかし、必ずしも二刀を用いて戦うものではない。「左手さしたることなし」と言って、左手の小刀はただ添えて持つだけ。**勝負を決するのは、右手の太刀**である。

武蔵は強靭な腕力で、片手で太刀を使いこなしていた。武士として生まれたからには、両手を使えるようにせねばならない。右手の太刀が使えなくなれば、左手の小刀で戦う。二刀を持つのは、その気構えを示すものだ。また、乱世を生きた武蔵は「**戦いに勝つためならば、使えるものは何でも使え**」というのが持論。佐々木小次郎との戦いで、櫂《かい》を木刀に用いたのは良い例だ。形にはこだわらない。勝つために有利な武器を使えばいい、とその時々の状況で一刀や二刀、あるいはその他の武器などを使い分けていたようである。

宮本武蔵

生存を新政府軍以上に身内が恐れた…

土方歳三の生死は、いまだ不明

No. 020

敵はもちろん、士道に背いた味方も容赦なく残酷に処罰する。それゆえ「**鬼の副長**」の異名で畏怖された土方歳三だが、彼の本当の凄さが発揮されたのは、**新選組が解散した後**のこと。土方は江戸無血開城後も戦いをやめず、新選組の元隊士や旧幕臣を引き連れて北関東や会津、箱館（函館）などを転戦した。

当時としては珍しい合理的精神の持ち主だった土方は、近代戦術を理解し、短期間のうちに**旧幕軍で随一の戦術家に成長**。新政府軍の部隊を変幻自在の軍略でことごとく返り討ちにし、戊辰戦争最後の戦いとなった**箱館戦争では土方の不敗伝説もできあがる**。土方の部隊が現れると、新政府軍は恐怖に慄《おのの》いたという。

しかし、そんな無敵の土方にも最期の時はやってきた。本拠の箱館五稜郭が包囲され、旧幕府軍は降伏を決めた。徹底抗戦を唱える土方は、わずかな兵を率いて最前線に出撃。騎乗したまま刀を振るって突撃し、銃弾が腹部に命中して戦死したと伝えられる。

だが、**正式な死亡確認はされていない**。乱戦のなかで死体は行方不明となり、戦死の物証がない。そのため「**土方はまだ生きている**」との噂が流布して兵士は怯えた。また、降伏した旧幕府軍は「降伏するような卑怯者は土方さんに殺されるかも……」と、新政府軍以上に恐怖したという。

土方歳三

No. 021

平安時代を代表する美女の哀れな末路

小野小町は、極貧のすえに野垂れ死

才色兼備の女性が集まる平安時代の朝廷でも、群を抜いた美女として評判だったのが**小野小町《おののこまち》**である。「**切れ長の細い目**」「**大きな顔**」「**太った体**」が美人の条件とされていた時代。**現代の美人像からはかけ離れていた**が、金持ちの貴族は争うようにして彼女に貢いだ。

だが、年齢とともに美人の価値は下がってゆく。小野小町もその運命には抗えない。美熟女なんて言葉のなかった時代、**30歳を過ぎれば老婆**として扱われる。これまで熱を上げていた男たちも手の平を返して冷たくなり、やがて彼女の姿は都から消えた。老婆となった小町は都の郊外にある粗末な庵に移り住んだ。生活に窮し、物乞いをしていたという話もある。

また、この頃には亡霊にも悩まされていた。かつて小町に惚れていた男たちのなかに、深草少将という人物がいた。彼は大雪の中を歩いて求愛に向かう途中、**遭難して凍死**する間抜けな最期を遂げている。その**深草少将の亡霊**が頻繁に現れ、彼女を錯乱に陥れる。栄養不良も相まって体はすっかり痩せ細り、もはや美女の面影はどこにもない。

最期は住処も失って、野原を彷徨いながら衰弱死を遂げた。彼女の死体は弔われることなく、**放置されたまま朽ち果てた**とか。

小野小町（鈴木春信画）

No.022

戦場で発見された遺体も股間で特定？

西郷隆盛のキン〇マは、巨大だった

西郷隆盛といえば、まず思い浮かぶのが上野公園の銅像。銅像の顔は似てないという話だが、浴衣に兵児《へこおび》帯を締めて愛犬と一緒に歩く姿は、よく見かけられたという。西郷は洋服嫌いだったとも伝えられるが、その理由についてはひとつの理由が考えられる。それは、彼の**キンタマが常人離れして巨大だった**がために、ズボンをはいたらそれがバレてしまうからなのだとか。

西郷は藩命に背き攘夷派の僧・月照《げっしょう》を匿ったことで、安政6年（1859）に流刑となった。この時に、**フィラリアに感染**してしまう。フィラリアとは、バンクロフト糸状虫が蚊を媒介して寄生することで起こる病気である。この寄生虫には様々な種類があり、人のリンパ管に寄生して皮下組織を変形させる種が存在する。それが現在も**熱帯地域で発生する象皮病の原因**であり、当時は西南諸島にも蔓延していた。

象皮病に侵された西郷のキンタマは、**バスケットボール大に巨大化**した。一説によればそれを気にして、岩倉使節団への参加を拒んだともいわれる。長期の外遊では洋服を着ることが多くなるからだろう。

この後、西南戦争に敗れた西郷は鹿児島の城山で自決。介錯した首は配下が持ち去った。新政府軍は巨大なキンタマをもつ首無し遺体を「**これが西郷の遺体だ**」と特定したという。

上野公園の西郷隆盛像

No.
023

少年・海舟を襲った一生もののトラウマ

勝海舟は、イヌに咬まれて片タマ喪失

慶応4年（1868）3月14日、東征軍参謀・西郷隆盛と幕府代表・勝海舟の会談で、江戸無血開城が決定した。この歴史的偉業を達成した両巨頭には、面白い共通点がある。それは**キンタマ**。西郷隆盛の巨大なキンタマはすでにご紹介したが、実は、通常の男子には2個あるキンタマが、**海舟は1個しかなかった**のである。

その理由については、海舟の父・勝小吉が記した『夢酔独言《むすいどくげん》』に書かれている。海舟がまだ9歳の子供の頃、道端で出会ったイヌに襲われた。この時に股間を噛まれて、**陰嚢袋が破れる大怪我**を負ってしまう。蘭方医の治療により傷口は消毒して縫われたが、2ヶ月ほど絶対安静で寝込むほどの重傷だった。この時に、**片方のキンタマは失われてしまった**という。当時は放し飼いのイヌがあちこちウロついていただけに、こういった事故はよく起こる。狂犬病も多かったというから、感染しなかっただけで良かったかもしれない。

成人した海舟はキンタマを1個失いながらも絶倫で知られ、**9人の子宝にも恵まれている**。しかし、イヌが大の苦手になり、吠声を聞いただけで震えが止まらなくなったという。江戸無血開城の交渉の席に、イヌ好きで知られる西郷が愛犬を同伴していなかったのは、幸いだったか⁉

勝海舟

No.
024

実際にやっていたのは兵器の販売や仲介…

坂本龍馬の本業は「死の商人」

兵器を販売する者を「**死の商人**」と呼んだりする。戦争が起これば、その裏で死の商人たちが暗躍して巨万の富を得る。幕末動乱期にもまた、薩長倒幕派や幕府に近代兵器を売りつける死の商人たちがいた。そのなかで最も有名なのが**坂本龍馬**だろう。日本の夜明けのために戦った男、幕末のヒーローといわれる龍馬だが、実際に行っていたのは兵器の販売や仲介。先入観を排除してその経歴だけを見れば「死の商人」ということになる。

まず、龍馬の奔走で締結された薩長同盟だが、薩長要人の会談を斡旋しただけではない。欧米列強の禁輸措置で近代兵器の購入ができなくなっていた長州藩に対して、**薩摩藩名義で購入した兵器を横流し**て売りさばいているのだ。長州藩が滅びてしまえば、武器の購入代金が支払って貰えなくなる。肩入れするのも当然のことだろう。また、龍馬が創業した貿易会社の**亀山社中の主力商品は兵器や軍艦**である。この後、土佐藩の外郭団体として海援隊を発足させ、海運業を本格的に始めた。しかし、運んだ商品といえば、こちらも**欧米から購入した兵器**。薩摩藩は龍馬を頼って近代兵器を買い揃えるために、海援隊に資金援助していた。

余談ではあるが、龍馬はイギリス商人のトーマス・グラバーと提携して兵器を輸入していたのだが、このグラバーは**フリーメイソンの会員**。同会には武器商人も多くいるが、龍馬もグラバーの紹介でフリーメイソンに入会していたという説もある。

No.025

倒した数は敵よりも味方の方が多かった…

新選組の死因1位は、仲間内の殺し合い

京の治安組織として活躍した新選組。彼らが本拠としていた壬生寺《みぶでら》には、隊士たちの墓石がずらりと並ぶ。最盛期には200名以上の隊士を数えたが、鳥羽伏見の戦いが始まるまでに45名が亡くなっている。浪士たちとの激闘で傷つき戦死した者も多かった……と、思いきや。その死亡原因を知って驚いた。

新選組隊士たちの死亡原因第1位は、敵と戦って死んだものではない。**仲間内での粛清**である。京におけるすべての戦闘による死者数を合計しても6名にしかならない。

一方、寄り合い世帯だけに常に激しい権力闘争が繰り広げられ、その内ゲバによる死傷者はかなりの数になる。たとえば慶応3年（1867）に起きた油小路事件では、分派活動をしていた参謀・伊東甲子太郎をはじめ4名が殺害されている。これだけでも最大の激戦となった池田屋事件の犠牲者3名を上回る数になる。また、厳しい「局中法度」に違反して切腹させられた隊士もかなり多い。**粛清と切腹によって死亡した隊士の数を合計すると39名**にもなる。ちなみに、新選組が殺害した倒幕派浪士は26名。新選組が殺した数は、敵よりも味方のほうが遥かに多いということだ。

また、戊辰戦争が始まってからは、脱走者や戦死者が大量に発生。鳥羽伏見の戦いが始まった時に148名いた隊士は、**解散時に50名以下にまで激減**していた。新政府側には新選組を深く恨む者も多く、局長・近藤勇のように捕らえられ処刑された者もまた多い。

No.026

長州藩もビビるほどの暴れぶり

高杉晋作は、放火の前科持ち

騎兵隊を率いて幕府軍を翻弄し、絶体絶命の長州藩を救った高杉晋作。その破天荒な生き様に魅力を感じる人は多いのだが、しかし、彼の人生を細かく見てゆくと……できれば、かかわりたくはない。かなり危ない性格ではある。

プライドがやたら高く、しかも恐ろしく短気。小柄な体にあわない長刀が大好きで、いつもズルズルと引きずりながら歩いていた。それを見て笑う者がいれば、刀を抜いて凄んできたりするから怖い。また、京に遊学した時には、上洛した将軍・徳川家茂の行列に向かって「**よう、将軍！**」などと大声でヤジを飛ばす。一歩間違えば首が飛ぶ。その常識の無さに、**一緒にいた仲間たちはかなり引いてしまった**ようだ。

しかし、この程度はまだ序の口。晋作が江戸に遊学していた文久3年（1863）、品川御殿山では建設中の英国公使館が完成間近だった。尊皇攘夷思想に感化された長州藩士からすれば面白くない。仲間たちが集まって酒を飲むと、必ずその話題になる。晋作は「**それなら焼いちまおうぜ**」と仲間を誘って英国公使館に侵入。山積みになった建設資材に放火して、**公使館を全焼させてしまう**。過激で知られる長州藩もこれにはビビッた。晋作を江戸から呼び戻し、藩外に出ないよう見張ったという。

高杉晋作

No.027

時代劇の二大スターの意外な接点とは？
「鬼平」と「遠山の金さん」の住所は同じ

池波正太郎の時代劇小説**『鬼平犯科帳』**。主人公の**“鬼平”こと長谷川平蔵**は、盗賊や放火などの凶悪犯罪を専門に取り締まる火付盗賊改方の頭だった。難事件を次々に解決して江戸の町を守るヒーローとして描かれているが、実はこの人物には実在のモデルがいる。

平蔵は親子代々が名乗った通称であり、その本名は**長谷川宣以**《のぶため》という。延享2年（1745）に生まれ、実家は400石取りの旗本だった。父の死後に30歳で家督を継ぎ、火付盗賊改方に任ぜられたのは、天明7年（1787）の42歳になってから。ドラマとは違って出世欲が強く、同僚からは**「小賢しいやつ」**と嫌われていたという。また、罪人を自白させるために**「海老責め」など様々な拷問を考案**したドSな一面もある。

平蔵の父がまだ健在だった明和元年（1764）に、長谷川家は幕府から本所に1238坪の屋敷を与えられる。屋敷には牢屋もあり、罪人を拷問することもあった。平蔵は寛政7年（1795）に50歳で死去するまでこの屋敷に住みつづけた。

平蔵の死後は、屋敷替えで他の旗本が住むようになる。そして、弘化3年（1846）には**南町奉行・遠山金四郎の下屋敷となった**。なんと、テレビの人気時代劇の二大スターが同じ屋敷に住んだとは、なんとも奇妙な縁である。

都営新宿線菊川駅前にある屋敷跡の記念碑

【第二章】

「ホント!?」と驚く歴史雑学

世界の偉人編

No.028

ソクラテスは、読み書きできない

世界四大聖人のひとりなのに自著は一冊もなし

釈迦、キリスト、孔子とならんで世界四大聖人の1人とされる哲学者ソクラテス。さぞや多くの書を残していただろうと思いきや、実は一冊も書いてない。なにしろ**彼は文盲《もんもう》だから、書けるわけがない**。

紀元前5世紀にアテネに生まれたソクラテスは、若い頃には数々の軍功を上げた優秀な兵士だった。兵役を終えると暇を持て余していたようで、町をぶらつきながら誰彼かまわず声をかけて議論をするようになる。それで話術に磨きをかけると、やがて若者たちに議論の方法や政治について教えるようになった。

ソクラテスに一番弟子として可愛がられた**プラトン**は、彼は名家の出身だけに文字を書くこともできる。師匠が話すことや他者と論争していた内容を覚えて記録していた。紀元前399年、ソクラテスは**若者を惑わせたという罪で処刑**される。その裁判でソクラテスが語ったことも、プラトンは『**ソクラテスの弁明**』として記録した。

政治家をめざしてソクラテスに弟子入りしたプラトンだったが、師を死に追いやった現実政治に幻滅。以後は哲学者として生き、その後も彼をその道に導いたソクラテスに関する多くの書物を書いた。我々が知るソクラテスの言葉や思想は、**そのほとんどがプラトンの書によるもの**だ。

ソクラテス

No.029

ピタゴラスが生まれる遥か前から存在…

「ピタゴラスの定理」は、別人が考えた

中学校数学で必ず習う三平方の定理。直角三角形の3辺のうち、2辺の長さが分かれば残りの1辺の長さを知ることができるというやつだが、これを「**ピタゴラスの定理**」とも呼んでいるだけに、ピタゴラスが作った計算方法と思っている人は多い。だが、どうやら、**そうではなかった**ようで……。

ピタゴラスは紀元前6世紀の哲学者。数学者ともされているが、彼の数学とのかかわりは**学者というよりも宗教家に近い**。数を信奉してその真理を究めるために数学を研究する組織に属していたが、その内部情報を漏らした者は殺されるというから恐ろしい。現代の我々が知るピタゴラスの言行や研究は、すべて彼の死後に**教団が壊滅してから弟子たちが記したもの**である。

ピタゴラスの定理もそこに書いてある。しかし、定理そのものは**ピタゴラスが生まれる1000年以上も前**から古代バビロニアで知られていた。さらに2500年前にピラミッドを建設した古代エジプトも、この定理を応用したものと考えられる。

ピタゴラスは教団の活動で、東方を旅しながら現地で様々な数式を学んだ。おそらく**三平方の定理もその旅で見つけたもの**だろう。それが弟子たちの書物に記されて西欧に伝わり、「ピタゴラスの定理」と呼ばれるようになったのだ。

ピタゴラス

No. 030

モーツァルトは、ウンコが大好き

不世出の天才作曲家も素顔は変態

モーツァルトといえば、オーストリアを代表する音楽家。ベートーベンやハイドンとともに古典派三大作曲家として数えられる。『トルコ行進曲』『アイネ・クライネ・ナハトムジーク』などは日本でもよく知られる名曲だ。優雅で格調高い曲を得意とするだけに、教養のある人格者だと思っていたが、実像は**曲のイメージからは想像もつかない、困った男**だったようである。

彼は子どもの頃から音楽の才能を発揮し、神童と呼ばれた。しかし、音楽以外の部分では**まったく成長しない子どものまま**。大人になってからも舞踏会で女性の髪に悪戯したり、退屈すると所かまわず走り回るなど奇行が目立った。大切な演奏会で何かやらかすのではないかと、周囲はいつもハラハラしていたという。

また、下品な言葉を口にするのも大好きだった。「**ウンコ**」という言葉に異常な関心を示して、よく「ウンコ」を連呼して笑い転げていたという。恋した相手に送ったラブレターにも「**君のベッドをウンコまみれにしてやる**」などと書いたりもした。

モーツァルトの下品さは、本業の作曲にも出てきてしまう。26歳の時には『**俺のしりをなめろ**』という曲を作り、お下劣な歌詞も書いている。だが、幸いにも大きな演奏会で発表されることはなく、彼のイメージダウンは避けられた。

モーツァルト

No. 031

イングランドが張り巡らせた巧妙な罠
ジャンヌ・ダルクの処刑は、ズボンが理由

　百年戦争末期、フランスは国土の大半をイングランドに占領された状況にあった。この時、神のお告げを聞いた美少女**ジャンヌ・ダルク**が、女だてらに甲冑を着込みフランス軍の先頭に立って戦った。「**聖女がついていれば大丈夫**」と兵士たちも奮い立ち、フランスは国家滅亡の危機を脱する。

　しかし、ジャンヌは敵側に捕虜として捕らえられ、宗教裁判にかけられてしまう。イングランドは、聖女と崇められるジャンヌを**「異端者」「魔女」として処刑**し、フランス側の士気を萎えさせようとしたのである。

　裁判では男装などを理由にジャンヌを異端者と断罪。当時は**異性の服を着ることは宗教的タブー**だった。文盲だった彼女は知らずに「自らの異端を認める」と宣誓供述書にサインする。供述書にサインして悔い改めれば、**再び異端の罪を犯さぬ限り処刑は実行されない**。それが当時のルールだった。だが、ジャンヌをどうしても処刑したいイングランド側は策を弄する。

　牢獄の看守がジャンヌを襲う。**これが罠だった**。ジャンヌは**身を守るためにズボンをはいた**。また、一説には牢獄で男性用の服しか与えられず、**仕方なく着た**ともいわれる。とにかく、ズボンをはいてしまったジャンヌは、異端の再犯を咎められて火刑に処されてしまったのだ。

ジャンヌダルク

No. 032

マリー・アントワネットは、本当に巨乳

胸にインスパイアされたミルクボウルも存在

フランス革命で処刑された悲劇の王妃**マリー・アントワネット**。その肖像画を見るとかなりの巨乳に思える。実際、巨乳だったという証拠も残っている。当時の宮廷に服飾商人として出入りしたエロフ夫人という人物の日記が現存する。彼女は裁縫師でもあり、注文を受けた貴婦人の寸法を自ら取ることもしていた。日記には実寸したマリー・アントワネットの**体のサイズについても詳細に書かれていた**のだ。

それによれば、**身長は154センチ、バスト109センチ、ウェスト58センチ**となっている。巨乳というよりは、**もはや爆乳**といってもよいレベル。夫のルイ16世は巨乳好きだったという噂もあるだけに、王妃の豊満な胸にさぞや魅了されたことだろう。また、彼女の巨乳は夫以外にも、様々な人々に強烈なインパクトを与えていたようである。

たとえば、マリー・アントワネットの**乳房の形を模した**という、1788年制作のセーヴル焼きのミルクボウルが現存している。その形状を見れば大きいだけではなく、**かなりの美乳**でもあったようだ。職人もさぞや創作意欲をかきたてられたのだろう。底が浅く広い口を持つ**クープグラス**というシャンパングラスがあるが、一説にはこれも王妃の胸からインスピレーションを受けたといわれている。

マリー・アントワネット

No. 033

知られている功績のほとんどが他人の発明

エジソンは、「パクリの王様」

19世紀には蓄音機や白熱電球、映画など現代文明の基礎となる発明が多く生まれている。そのほとんどが**トーマス・エジソン**によるものとされ、いつしか人々は彼のことを「**発明王**」と呼ぶようになった。しかし、そのなかには**他人からのパクリ**だったり、**パクリではないかという疑惑**のあるものも多い。

エジソンの最大の発明とされる白熱電球についても、**パクリが確定**している。白熱電球を最初に発明したのは、イギリスの**ジョセフ・スワン**であることは明白。彼はこれに関する特許も取得していた。エジソンはジョセフの発明した白熱電球にいくつかの改良をくわえて、商品に仕上げただけ。販売するにあたっては、特許をもつスワンと共同会社を設立している。

また、エジソンは撮影機など映画に関する様々な特許を持っていたが、これも**他の発明家から特許権を買って得た技術**が多く使われている。なかには、勝手に技術を使用されたと訴える者もいて、エジソンは常に多くの訴訟をかかえていたという。**発明王というよりは訴訟王**。そんな感じもありか。

エジソンは目新しい技術を売れる商品として改良するアイデアに優れ、資金を集める行動力と交渉能力に優れていた。**発明家というよりも起業家**といったほうが、正しいのかもしれない。

トーマス・エジソン

No.034

ネコ用ドアの発明者は、ニュートン

万有引力の発見者は無類のネコ好きだった

ペット業界は、年々売上を伸ばす成長産業。とくにネコ用品は売れ行き堅調で、ヒット商品も数多く生まれている。たとえば、ネコが自由に出入りできる「**ネコ用ドア**」は今や愛猫家の必須アイテムだろう。

このネコ用ドアは18世紀からすでに存在していた。しかも、発明者は世界的によく知られた偉人、**アイザック・ニュートン**だった。

ニュートンは木から落ちるリンゴを見て**万有引力を発見**し、**微分積分法を確立**させた物理学者。イングランドの造幣局長にもなり、金銀の価格比率を制定するなどマルチな才を発揮した。

しかし、凡人には天才を理解するのは難しい。ニュートン自身も気難しいところがあったことから、あまり人付き合いは得意ではなかったという。

ネコだけがそんな彼の唯一の友だちだった。ニュートンの研究室には2匹のネコがよく出入りしていた。温かい研究室はネコたちにとってこの世の極楽。ニュートンは、ネコたちにより快適に過ごしてもらうべく、彼らが自由に出入りできるように研究室のドアを改造する。ドアの下を四角に切り取り、そこにスイング構造で開閉する板を取り付けた。現代のネコ用ドアと同じ構造である。ニュートンはこれを「**キャットフラップ**」と呼んでいた。

ニュートン

No.
035

度重なる奇行に周囲はうんざり…

啓蒙思想家のルソーは、ド変態

「**フランス革命の父**」と呼ばれ、近代の思想や政治、経済など様々な分野に多大な影響を及ぼした啓蒙思想家**ジャン・ジャック・ルソー**。その業績を見れば、尊敬するべき人物であることは間違いないのだが、彼をよく知る当時の人々には、**むしろ軽蔑されることのほうが多かった**という。

少年時代のルソーは**嫌われ者の悪童**で、何度も警察に逮捕された。罪状のなかには強姦未遂というのもある。溺愛していた母を早くに失い、心に闇をかかえるようになったといわれる。

若い頃はやんちゃしても、年齢とともに落ち着いてくる人は多い。が、ルソーの場合は大人になってからは**奇行癖も目立つ**ようになる。往来でいきなり**服を脱いで全裸**になり、**驚く女性たちを眺めて大喜び**。この露出癖にくわえて、**ドM**でもある。自著のなかでも、

「横暴な娼婦の足元にひざまずき、彼女の命令に従い、彼女に許しを請うことが私にとっては極めて心地いい快楽だった」

などと語っている。晩年は人間不信から被害妄想が酷くなり、著書が問題となり逮捕状も出されていた。そのため**妻子を捨て、偽名を使って各地を転々と**する。荒んだ生活で体も弱っていたのだろう、孤独な日々のなか66歳で突然死してしまった。

ルソー

No.036

皇帝ナポレオン1世は、イタリア人

フランスを救った英雄の微妙な出身地問題

近隣の絶対王政国家から敵対され、四面楚歌の状況だった革命後のフランスに、突如現れた**ナポレン・ポナパルト**。天才的な軍略を駆使して敵国を次々に屈服させ、一時はヨーロッパの大半を支配した。ジャンヌ・ダルクと並んでフランス史上で最も有名な人物であることは間違いない。しかし、彼の出自を調べてみると、**ホントにフランス人?** とそんな疑問が沸いてくる。

ナポレオンの出身地が地中海に浮かぶ**コルシカ島**というのは、知っている人は多いはず。現在はフランス領だが……ずっとそうだったわけではない。地図を見れば、どちらかというとフランス本土よりもイタリア半島に近い。実際、13世紀頃からはずっと**イタリアのジェノヴァ共和国**に支配されていた。しかし、財政難のジェノヴァ共和国は、島民による独立闘争が激化するコルシカ島を持て余し、1768年にフランスに譲渡する。**ナポレオンが生まれる1年前の出来事**だ。

支配に納得しない島民たちが蜂起し、フランス軍は討伐に手を焼かされた。これをなんとか鎮圧して制式併合できたのは、**ナポレオン誕生後の1770年**のこと。つまり、彼はイタリア人として生まれたことになるのでは? ちなみに島の住人の顔立ちはイタリア人に近く、島内で使われるコルシカ語もイタリア語に似た言語である。

ナポレオン

青酸カリも平気、銃で撃たれても生きている…

帝政末期のロシアにターミネーターが出現

No. 037

「お前、ターミネーターみたいなやつだな」とは、タフな人を褒める時によく使われる言葉だ。その由来は、映画『**ターミネーター**』**の人造人間**。銃で撃たれようが火だるまにされようが、ひたすら追いかけてくる不死身ぶりが強烈な印象として残っている人は多いだろう。この世には生身の人間でありながら、そんな**ターミネーターに勝るとも劣らぬ不死身ぶりを発揮**した人物がいる。

その人物というのが、ロシアの帝政末期に現れた**怪僧ラスプーチン**。皇帝一家に取り入って寵愛を受けていたが、1916年に彼を警戒する貴族らによって暗殺された。その死様が凄まじい。最初、貴族たちはラスプーチンを食事に招き、**青酸カリを盛って毒殺**しようとした。常人の致死量を遥かに上回る量だったが、食事をすべて平らげてけろりとしている。

驚いた貴族の1人が銃を抜き、**至近距離から2発を発射**。心臓を撃ち抜かれたラスプーチンはまだ死なずにもがいている。さらに4発の銃弾を急所に打ち込み、頭にトドメ1発を撃ち込んでから、簀巻《すま》きにして川に投げ捨てた。3日後に厚い氷が張った川底から遺体が発見されるが、**手首を縛ったロープが解けていた**……あれだけ銃弾を打ち込まれてもまだ死なず、ロープを自分で解いていたのだ。

グレゴリー・ラスプーチン

No.038

実は異民族王朝の最後の女王…

クレオパトラは、エジプト人ではない

クレオパトラはエジプトの女王ではあるのだが、実は**エジプト人ではなかった**。第18王朝のツタンカーメン王を最後に古くからの王家の血は途絶え、紀元前525年からは異民族のペルシア人により支配されていた。さらに、紀元前332年になるとマケドニア人のアレクサンドロス大王がペルシアの勢力を駆逐し、その後継者によってプトレマイオス朝エジプトが建国される。**クレオパトラはマケドニア人**でその**異民族王朝最後の女王**だった。

マケドニア人はギリシア北部のマケドニア地方に発祥した民族。**つまりギリシア人**ということだ。これまでクレオパトラが登場する多くの映画が作られ、その役を白人女性が演じてきたのも、彼女が白人であるギリシア人という史実にもとづくところだろう。

しかし、このクレオパトラの身体的特徴については異説もあり。**アフリカ系人種の血が多く混入していた**という説が有力だ。エジプトは太古から移住者を受け入れ、ナイル川岸に住む者はすべて「エジプト人」とする寛容さがあった。それだけに混血は多かったといわれている。また、近年にトルコのエフェソス遺跡で、**クレオパトラの妹**とされる人骨が発掘され、分析したところ**アフリカ系との混血だった可能性が高い**とされている。

白人として描かれるクレオパトラ

No.
039

クレオパトラは、○○の達人だった

その超絶テクに英雄カエサルもメロメロ…

フェラチオの歴史は古く、古代インドの性愛論書**『カーマ・スートラ』**にもその描写があるという。また、日本においても平安時代に書かれた**『日本霊異記』**に、フェラチオに関する記述が見つかる。

いったい人類はいつの頃から、この性行為をおこなうようになったのか？　その起源については定かではないが、しかし、世界が認めた史上初のフェラチオ名人が誰かといえば、答えは**クレオパトラ**ということでまず間違いないだろう。

古代エジプトでもフェラチオは「**復活の儀式**」と呼ばれ、萎えた男根を元気にさせる方法として広く知られていた。地中海を挟んでエジプトの対岸にあるローマやギリシアでも、娼婦たちがサービスとして行っていた。だが、プロの娼婦が足元に及ばないほどに、クレオパトラの技術は凄かったといわれる。

クレオパトラが床上手という話はかなり有名なのだが、なかでもフェラチオは達人の域。彼女の警護にあたる100名以上の衛兵を次々にフェラして、**全員をイカせた**という逸話も残っている。また、カエサルをメロメロにしたのも、彼女の美貌にくわえてフェラチオの技巧によるところが大きかったのだとか。

しかし、当時のローマではフェラチオは**娼婦のする淫らな行為**で、淑女がやるものではないと考えられていた。ローマ人たちのクレオパトラに対する印象が悪かったのも、フェラチオの達人として知られていたことが影響していたのかもしれない。

No. 040

上下エジプトを統一した英雄の謎の死…

カバに殺されたエジプト王がいる

野生動物に人が殺される事故や事件は、現在でも世界各地で起きている。しかし、それがどんな動物かで事件の印象はがらりと変わる。トラやクマに人が殺されると「怖い」だが、相手がカバになると、その名称からしてマヌケな印象が否めないのだが。しかし、アフリカに住む**野生のカバは最も多くの人を殺している恐ろしい猛獣**。その被害者のなかには、古代エジプトの王様もいるのだ。

紀元前31世紀頃、上下エジプトを統一したエジプト王の**ホル・アハ**は「戦う鷹」「戦う王」という異名をもつ勇ましい王様。狩猟が趣味で、ナイル川に出かけてはカバやワニを狩っていた。在位期間が62年というから、歳を取ってからも元気で政務や狩猟に励んでいたという。彼の最期については、

「62年の在位の後に、**カバが王様を連れ去った**」

とある。どうやら狩りに出かけて、**獲物のカバに逆襲された**ようだ。実はカバは本気で走れば**時速60キロと速い**。また、**噛む力は1トン**と凄まじく、人間を骨ごと噛み砕くことも簡単だ。また、約2トンの体重で踏まれたら**確実に内臓破裂**だろう。

噛み殺されたか、踏み殺されたか、あるいは水中に引きずり込まれたか。いずれにしても、**かなり悲惨な死様**だったことは間違いない。

縄張りを荒らす者には容赦ないカバ

No.041

スイカ割りの考案者は、諸葛亮孔明

もともとは三国志時代の残酷儀式？

海水浴場に行くと必ず見かけるのが、**スイカ割り**を楽しむグループ。いまではすっかり夏の風物となっている。農業協同組合が設立した日本すいか割り協会が1991年にすいか割りの公式ルールを定めるなど、競技としても盛り上がりをみせている。このスイカ割りの起源は漢代の中国にあり、考案者はなんと『**三国志**』に登場する**天才軍師の諸葛《しょかつ》亮《りょう》孔明《こうめい》**なのだとか。

中国では古代から、戦争が始まると自軍の勝利を祈願して生贄を捧げてきた。生贄の儀式には様々なやり方があるのだが、**どれもかなり残酷**。三国志の時代に流行っていたのは、罪人を首から上だけを出した状態で土に埋めておいてから、重い棍棒を振りおろして頭を叩き割るというもの。しかし、孔明はこれを見て、

「これは、あまりに残酷すぎる」

と**スイカに置き換えた**のである。スイカが割れる様は、ビジュアル的にも人の頭を叩き割った時とよく似ている。充分に代用になると判断され、戦勝祈願の儀式としてスイカ割りが定着するようになったという。

また、同じように孔明が考案したのが**饅頭**。水害に悩む地方では、**殺害した生贄の頭を水神に捧げる**儀式があった。孔明は小麦粉を練った生地に肉餡を詰めて人頭に似せた形にして、生贄の代わりに使わせた。それが**饅頭の起源**だとされる。

諸葛亮孔明

No.
042

傾国の美女も現代とは違う価値観…

楊貴妃は、デブで陰毛がボーボー

美人の基準というのは場所や時代、人によって違う。歴史上の絶世の美女も、現代の基準でみると美人というにはかなり違和感のあるビジュアルだったりすることも。世界三大美女のひとりに数えられる**楊貴妃**もまた、そうだった可能性が高い。

楊貴妃は唐の第6代皇帝・玄宗の寵姫。**美しいだけではなく、博識であり音楽や舞踊などの芸も一流**。玄宗もメロメロとなり、政治を疎かにして国が傾く要因をつくった。

強大な王朝を揺るがすほどの美貌。だが、この時代の美人の基準は、現代のそれとは真逆のような……。まずは豊満でなくてはならない。当時の美人はみんな腰をくねらせて歩いていたという。色気で男を誘おうという意図ではなく、**自分の身体の重みに耐えかねてそういった歩き方になる**のだ。一部のマニアを除いて現代の男性だと、見ただけで萎えてしまう体型であることは間違いない。

また、**陰毛が黒々と豊かに繋っている**ことも、当時は美人の条件。楊貴妃の場合は濃いだけではなく、**陰毛が膝に届くほど長かった**という。いくらなんでも、そんな人類がいるのだろうか? しかし、並外れた巨漢で膝まで ボーボーと繁った陰毛。それが美人といわれても……。

楊貴妃

明の洪武帝は、「禿」と言うと大激怒

コンプレックスからくる謎の規則

No.043

明の初代皇帝となった**洪武帝**《こうぶてい》は、貧しい農民の出身だった。両親を飢饉で亡くし、乞食僧をしながら諸国を放浪したこともあるという。この後、賊徒を率いて頭角を現し、やがて元朝を打倒して皇帝に即位するのだが。権力の座に就いてからは、商人や地主の財産を没収したり、開拓地を広げるために人々を荒地に強制移住させるなど、**かなりの強権政治を行っている**。幼少期から極貧の境遇で数々の悲惨な体験をしたことで、**無慈悲で冷酷な性格になってしまった**ようである。

また、コンプレックスも強く、乞食僧をしていたという黒歴史に触れられるのを嫌った。1381年には「**禿**」「**僧**」などの文字を使うことを禁じてしまう。また、「僧」とは音が近い「**生**」などの文字についても、使用を禁じる追加措置も出された。禁を破ってこれらの文字を書いたり読んだりした者は**極刑に処せられる**。実際、うっかりこれらの文字を使って投獄されたり、処刑された者もいる（**文字**《もんじ》**の獄**）。

これら文字の使用が禁じられたことで、役人の仕事には支障をきたしたという。また、明でも官吏の採用には科挙の試験が行われていたが、超難関なはずの試験が**明の時代には難易度が下がった**という。これも文字の使用禁止で出題傾向が変わるなど、影響を及ぼしていたのかもしれない。

洪武帝

No.044

アニメや映画ではアラビア人だが、実際は?

『千夜一夜物語』のアラジンは、中国人

イスラム世界の説話集**『千夜一夜物語』**には、魔法のランプから現れる魔神の助けを借りて、少年**アラジン**が大冒険する物語がある。これを原案にした絵本やアニメ作品も多いのだが、それに登場するアラジンの服装は**アラビア人のイメージが強い**。物語が作られた場所もアラビアなだけに、当然、主人公のアラジンもアラビア人と思うだろうが、これが大きな間違い。

18世紀の初頭、フランスの東洋学者**アントワーヌ・ガラン**によって『千夜一夜物語』がヨーロッパで出版された。この時にもアラジンについては、

「**中国の少年である**」

と、はっきり書いてある。また、19世紀中頃にイギリスで出版された児童書の挿絵も、アラジンは漢服を着た中国人として描かれていた。そして、物語の舞台もまた**アラビアでなく中国の港町**だった。

『千夜一夜物語』は9世紀頃の成立とされるが、この頃すでにアラビア半島と中国の間では交易が行われており、中国沿岸部の港には多くのアラビア商人が住んでいた。物語には具体的な都市名は記されていないが、研究者の間では**中国南部の福建省にある泉州**という説が有力である。泉州は12～13世紀頃から**国際色豊かな貿易港として発展**していたというから、アラジンの舞台としても違和感がない。

19世紀に描かれたアラジン

No.
045

イスラム世界の最高権力者の意外な出自
オスマン帝国の皇帝は、奴隷の子

オスマン帝国の皇帝は、**イスラム世界の最高権威者である「カリフ」**として君臨していた。代々の皇帝の母親も当然、ヨーロッパやアラブの王侯貴族の出身……と思いきや、その**出自は奴隷**だというから驚く。

代々の皇帝が住んだイスタンブールのトプカプ宮殿には、ハレムと呼ばれる後宮がある。400以上の部屋がある巨大な施設で、そこには数百人、多い時には1000人以上の女たちが暮らしていた。彼女たちの大半は、人身売買や戦争捕虜として連れて来られた異国の女性。歴代オスマン帝国皇帝の母は、その大半が後宮に閉じ込められていた**女奴隷**だったのである。

しかし、運良く皇帝に見初められて子を産み、その子が次の皇帝に即位すれば、**母后としての地位と絶大な権力を持つことができる**。それだけに、母親たちは誰もが我が子を皇帝に即位させようと必死になる。他の女が産んだ子供を殺害しようと企てたり、後宮では常にドス黒い陰謀が渦巻いていたという。

ちなみに、第30代皇帝であるマフムト2世の母は、**エイメ・デュブクというフランス人**。船旅の道中で海賊に捕らえられてハレムの奴隷となった彼女は、ナポレオン1世の最初の妻**ジョゼフィーヌの従姉妹**だったとか。それが縁でオスマン帝国はナポレオンとの連携を強めたともいわれている。

マフムト2世

No.046

局所麻酔が原因で麻薬中毒者が続出

フロイトは、患者を麻薬漬けにした

20世紀初頭になると**ジークムント・フロイト**によって精神分析法が確立され、神経症やPTSDに苦しむ患者たちの治療も飛躍的に進歩した。フロイトが執筆した**『夢判断』**は、現代でも世界中の心理学者や精神科医に熟読されている。そんなフロイトだが、麻薬に関する後ろ暗い過去がある。しかも、現代ならば違法薬物使用などの余罪もついて、**まちがいなく実刑判決をくらうレベルの重罪**である。

それはフロイトが30歳になろうとしていた頃。当時はまだ駆け出しの新人医師で、経済的にも苦しかった。そこで一発当てようと、局所麻酔の開発を思いつく。当時はモルヒネなどを麻酔に使っていたが、フロイトが目をつけたのが**コカイン**。この時代は違法ではなく、精力剤や頭痛治療薬として販売もされていた。

コカインを含んだ溶液を目や鼻などに入れると、一時的に感覚が麻痺することを知ったフロイトは、友人の眼科医にコカインを局所麻酔として使用するよう勧めた。また、自身もこれを、うつ病などの治療に用いた。これにも劇的な効果があり「**魔法の薬をみつけた**」と、大喜びしたのだが、やがて**コカイン中毒の症例が報告**されるようになる。これを治療に使いまくったフロイトも当時はかなり叩かれて、**精神を病みそうになるほど落ち込んだ**という。

ジークムント・フロイト

No.047

イスラエル政府が天才物理学者に就任を要請

アインシュタインは、大統領を断った

1948年5月14日、イギリスの委任統治領だったパレスチナにおいて、**イスラエル**の建国宣言が行われた。パレスチナは古代ユダヤ人の故郷であり、19世紀からユダヤ人国家を建設することは民族の悲願だった。

イスラエルは近代国家として議会制民主主義を採用し、これに行政（政府）や司法（裁判）がそれぞれ独立した**三権分立**になっている。日本とほぼ同じ国家システムだが、違うのはその上に**国家元首として大統領がいる**こと。ただしアメリカなどの大統領制とは違って、イスラエル大統領は政治に関与することのない象徴的存在である。国会の開会宣言や外国大使の信任状受理、または、条約の批准など、その職務を遂行するのに政治力は必要ない。

イスラエルが建国されるとすぐ初代大統領の選考に入った。この時、**誰もが納得した候補者がアインシュタインだった**という。アインシュタインはドイツ系ユダヤ人の家系に生まれ、ナチスの迫害を受けてアメリカに移り住んでいた。ノーベル物理学賞を受賞した天才学者であり、ユダヤ人としては当時世界的に最も有名な人物である。**国家の象徴としてはもってこいの存在**だろう。イスラエルはアインシュタインに大統領への就任要請をした。しかし、静かに余生を過ごしたいと願う彼は、**この要請を即座に断っている**。

このため初代大統領には、シオニスト運動指導者のハイム・ヴァイツマンが就任する。ヴァイツマンもまた合成ゴムの研究などで知られる科学者だった。

No. 048

世界で人気のキャラクター、もともとは○○だった

ミッキーマウスは、ネズミではない

ミッキーマウスはディズニー作品のなかで最もよく知られたキャラクター。ディズニーランドの象徴的存在でもあり、その人気の源でもある。

そんなミッキーマウスは、1928年に制作されたアニメ映画**『プレーン・クレイジー』**で初登場した。

ウォルト・ディズニーは**ペットとして飼っていたハツカネズミをモデル**に、このキャラクターを生み出したというのが定説だ。だが、ミッキーマウスの創造神話については、**この定説の他に様々な異説も流布**している。

最も有名な話としてよく語られているのが、**ミッキーマウスはネズミではない**という話。ディズニーはかつてウサギをモデルにした**オズワルド**というキャラクターを作り、多くの短編映画を制作していた。人気も上々だったというが、配給元の映画会社にオズワルドの版権を奪われてしまった。ディズニーとしては、急いでオズワルドに代わる新キャラクターを作る必要に迫られる。そこで、オズワルドの耳を縮めて尻尾を伸ばし、**ネズミのようなキャラに仕立て直してミッキーマウスが出来上がった**というのだ。

たしかにオズワルドはミッキーマウスによく似ている。ミッキーマウスはネズミではなく、**耳の短いウサギ**なのかもしれない。

ウサギのオズワルド

No.
049

ヒトラーは、日本の納豆が大好物

健康に良いとして兵士の糧食にも採用

近年は世界的に日本食がブーム。世界中どこの街に行っても、日本料理店が目につくようになっている。しかし、なかにはまだ多くの外国人から毛嫌いされる日本食材があった。それは**納豆**。ネバネバと糸を引く様が不気味で、強烈な臭いに食欲が萎えてしまう。

外国人にはかなり難易度の高い食材ではある納豆だが、あの**アドルフ・ヒトラー**がこれを好んで食べたという話が残っている。

ヒトラーは**ベジタリアン**であり、健康にはかなりうるさく、体に良い食物についての情報を収集していた。中国戦線の情報がドイツに伝えられると、ヒトラーは小柄な日本兵が重い装備を背負って1日に何十キロも移動することに驚く。その驚異的な体力と持久力の源は何かと調べ、**兵食として供給される納豆に着目**。日本から製法を聞いて**大豆30万トンを輸入し、納豆を作って食べてみた**という。

ヒトラーは納豆を気に入り、ギリシアやアフリカの戦線で戦うドイツ軍部隊にも、乾燥させた納豆を兵糧として支給することを決める。たしかに納豆は高タンパクで栄養価の高い食品であり、軽量の乾燥納豆は**戦闘食として携行するにはもってこい**。だが、兵たちは慣れない臭いと味に閉口して、食べることなく廃棄したという。

食事に気を使っていたヒトラー（右）

No. 050

ヨシフ・スターリンは、「偽名」だった

通称好きで数十種類の偽名を名乗った

第二次世界大戦の対独戦を勝利に導いたソ連の最高指導者**ヨシフ・スターリン**だが、彼には英雄というよりも無慈悲な独裁者といったイメージが強い。自分に逆らう者を次々に強制収容所に送り込み、100万人以上を大粛清したことで世界中にその悪名を知らしめた。彼は1878年12月18日にロシア帝国領内のグルジア（現在はジョージア国）に生まれている。父の名はヴィッツリオン・ジュガシヴィリ。スターリンの名字ではなかった。

そう〝スターリン〟は彼が**公職に就いてから名乗った通称**である。この他にも彼はダヴィット、イワノフなど**数十種類を名乗った**ことがある。スターリンの名は、1917年頃に共産党機関紙『プラウダ』の編集に携わった時からペンネームとして使うようになったもので、ロシア語で「**鋼鉄**」という意味をもつ。

本人もこの名前をかなり気に入っていたようで、公式の場でもスターリンを名乗った。そのため、国民の大半もスターリンが本名だと思っていたようである。

また、ファーストネームについても、生まれた時に両親がつけた名はグルジア語の「イオセブ」だった。「ヨシフ」はイオセブをロシア語読みしたものである。つまり、スターリンの本名は**イオセブ・ジュガシヴィリ**ということになる。

スターリン

No.051

チャーチルは、ヘミングウェイに勝った

世界的な文豪に競り勝って世界的な賞を受賞

ウィンストン・チャーチルは、おそらくイギリス歴代首相のなかでも、最も有名な人物のひとりだろう。第二次世界大戦では国民を鼓舞して、ドイツ軍の攻勢に抗いながらイギリス本土を守り抜く。戦後の世界秩序を構築する上でも大きな役割を果たしている。

そのチャーチルは、第二次政権で首相在職中だった**1953年にノーベル賞を受賞**している。ノーベル賞には国家間の友好や世界平和などに貢献した人物や団体を対象とした**平和賞**という部門があり、国際連盟創設に貢献した第28代アメリカ大統領のウッドロウ・ウィルソンなど、**過去にも多くの政治家が受賞**していた。また、非核三原則を提唱した日本の総理大臣経験者である**佐藤栄作**も、1974年にはノーベル平和賞を受賞した。

当然、チャーチルも平和賞……と、思いきや。なんと、**彼が受賞したのは文学賞**だった。

チャーチルは演説に定評があり、言葉選びのセンスも卓越。「**首脳外交**」「**鉄のカーテン**」など当時の流行語の数多くを生んでいる。そんな彼が執筆した『**第二次世界大戦回顧録**』が、文学的に高く評価されたのだ。

ちなみに、この年の受賞最有力候補として名があがっていたのが文豪**ヘミングウェイ**。それを押しのけての受賞というのがまた凄い。

ウィンストン・チャーチル

No.052

莫大な印税を元手に独立国家を設立!?

ヘミングウェイには〝大統領〟の弟がいる

アーネスト・ヘミングウェイはアメリカ文学史に燦然と輝く巨匠。戦後はノーベル文学賞候補にも度々名があがり、1954年には『老人と海』が高く評価されて、ついにノーベル賞作家にもなっている。

ヘミングウェイはまた姉弟も6人と多く、その弟である**レスター・ヘミングウェイ**も、作家として一時期は脚光を浴びた人物である。ヘミングウェイは晩年にうつ病を患い、1961年に散弾銃による自殺を遂げている。大作家の衝撃的な死は世を騒然とさせた。弟のレスターがその直後に出版した**『兄ヘミングウェイ』**も、その話題性からベストセラーとなる。これによってレスターは莫大な印税を手にした。

レスターはこの印税収入を使って、昔からの夢を実現するために動きだす。彼の夢、それは**王様になること**だった。レスターはジャマイカ本土から約10キロ離れた小島を購入し、そこにブロックの塀と竹製の櫓《やぐら》を建てた城塞を築く。そして、1964年7月4日に**新国家を樹立する独立宣言を行った**のである。

新国家は**ニュー・アトランティス**と名付けられ、国民は家族など6人。初代大統領には選挙に勝ったレスターが就任した。しかし、ニュー・アトランティスを他国に承認されることなく、数年後には**ハリケーンに襲われて壊滅**したという。

レスター・ヘミングウェイ

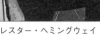

No. 053

毒ガスの発明者ハーバーの数奇な人生…

錬金術師になったナチスの研究者がいる

第一次世界大戦中では様々な大量殺戮兵器が開発されたが、なかでも兵士たちを恐怖させたのが**毒ガス**。1915年4月22日にベルギー南部イペールの戦線で、ドイツ軍がフランス軍に向けて毒ガス攻撃を決行。大勢の兵士が呼吸困難に陥り、フランス軍は撤退を余儀なくされた。この後、イギリスやフランスでも毒ガス開発が行われた結果、**130万人もの死傷者が発生**している。化学兵器の凄まじい威力には使用した各国も驚き、1925年にはジュネーヴ議定書を締結して**戦争における化学兵器の使用を禁じる**ようになる。

毒ガスを兵器として実用化したのは、ドイツの化学者**フリッツ・ハーバー**。窒素からアンモニアを合成することに成功したことで知られる人物で、軍から毒ガス開発を一任された。威力絶大の毒ガス兵器を開発したため軍には信頼されたが、彼に対する国際的非難は高まる。また、**毒ガス開発に反対して妻が自殺**するなど、自身にも大きな災いが降りかかる。

しかし、愛国者だったハーバーは、度重なる不幸にめげることなくドイツのために研究に明け暮れた。敗戦後は多額の賠償金に苦しむ母国のために、**海水から金を抽出する研究に没頭**し、海水調査のため世界中を旅した。1924年には日本にも訪れ、函館に数ヶ月滞在したこともある。

フリッツ・ハーバー

No.054

アホなのに30代の若さで一国の首相に就任

フィンランドの首相は、"アホ"だった

1991年に北欧の**フィンランド**では、この国史上最年少（当時）になる**36歳の首相が就任**した。日本でもこのニュースが報道されたが、その名を聞いた時には、「そんなヤツが首相になってもいいの？」と、勘違いして驚いた人もいただろう。だって、その名前が「**アホ**」なのだから。

この年の4月26日、第58代フィンランド共和国首相となった人物の名前は、**エスコ・アホ**という。アホは名字である。しかし、このアホ首相、日本人が名前から受ける印象とは真逆で、**かなり優秀な人物**だったようである。そうでなければ36歳の若さで首相になれるはずもない。1995年に首相辞任した後もその能力が各方面から求められ、フィンランド国立研究開発基金総裁や、国内最大企業のノキア取締役などにも就任している。

フィンランドで「アホ」という名字はさほど珍しいものではない。フィンランドにはヤーナとかヘンナというファーストネームの女性が多く、**ヤーナ・アホ**、**ヘンナ・アホ**などのフルネームを見かけることがある。

フィンランドは珍名の宝庫で他にも**アホネン**、**パーヤネン**、**ケツカイネン**。フルネームだと**エーロ・カッパ**や**ミルカ・パンツ**など、日本人の笑いのツボを刺激しそうな名前がいっぱいだ。

ユハニ・アホという文豪もいる

【第三章】

「ホント!?」と驚く歴史雑学

政治と制度編

No.055

平安時代は、ネコが人より偉かった

ネコ好きの天皇がペットに官位を与える

ネコがいつ頃に日本へ渡来したのかについては諸説ある。弥生時代の遺跡からイエネコに酷似した骨片が見つかっているが、平安時代頃でもその数は少なく、希少動物や珍獣の類だったことは間違いない。それだけに**ステイタスシンボル**にもなり、皇族や有力貴族はネコを探し求めるようにもなる。

平安時代後期の寛和2年（986）に即位した第66代一条天皇は、とくにネコ好きとして有名だった。飼っていた黒ネコに「**命婦《みょうぶ》の御許《おとど》**」という名前をつけて、**従五位の女官に相当する官位**まで与えている。従五位といえば貴族と認められる身分。江戸時代の**大身旗本**と同等、明治時代なら**男爵**といったあたりだろうか。

官位が下の者は逆らえない。ましてや官位のない庶民などは、手を触れるだけでも罰せられる。たとえそれがネコであっても同様だ。命婦の御許が、宮殿の縁側で居眠りしていた時のこと。それを見つけたイヌに吠えられた。命婦の御許は怯えて宮中を逃げまわる。それを見た一条天皇は「**イヌを打ち懲らしめて島流しにせよ**」と激怒した。

警備兵はその命令を忠実に実行し、イヌは棒でさんざん殴られた後、**船で遠くの島に流刑**になってしまったという。この話に関しては、清少納言が『枕草子』の中でも書いている。

ネコ好きだった一条天皇

選んだ方も選ばれた方も最後は不幸

くじ引きで選ばれた征夷大将軍がいる

No. 056

室町幕府の第4代将軍・足利義持は、嫡子の義量《よしかず》に将軍職を譲って隠居するが、実権を掌握したまま院政を敷いていた。ところが、第5代将軍は**在位わずか2年余りで早逝**。義持には他に息子がおらず、足利一族の中から誰かを次期将軍にせねばならない。

次期将軍の指名権は、義持にある。しかし、重臣たちがいくら急かしても彼は将軍を決めなかった。この時、義持はまだ40歳。愛人に男子を産ませて後継にしようと目論んでいたのだが、その願いは叶うことなく**感染症で急死**してしまう。将軍不在に加えて、その指名権を持つ最高権力者の突然死で幕府は大混乱に陥る。

「誰を次期将軍にすればいいいんだ!?」

重臣たちは悩んだ挙句、**くじ引きで次期将軍を決める**ことにした。くじ引きは岩清水八幡宮で神職により行われた。これで一応は「**神の神託を仰いだ**」という大義名分も立つ。この結果、第3代将軍・足利義満の子で、義持の同母弟の義教《よしのり》が第6代将軍に就任する。

しかし、義教は「くじ引きで将軍になった」とバカにされていると思い、疑心暗鬼に陥った。**逆らう者を次々に処刑**、延暦寺焼き討ちなど無茶をし、最後は恐怖政治に耐えられなくなった**赤松満祐に暗殺**されてしまった。重臣たちからすれば、**とんだハズレくじを引かされた気分**だったろう。

足利義教

信長から逃亡、将軍・足利義昭が開いた臨時幕府

室町時代の一時期、広島に幕府があった

No. 057

日本初の武家政権である鎌倉幕府滅亡後、足利尊氏が京都の室町に幕府を開いた。その後、戦国時代の戦乱を制した徳川家康の江戸幕府が成立する。日本史上で存在した幕府はこの3つ、幕府の所在地も鎌倉、京都、江戸の3ヶ所だけ。と思いきや、よくよく調べてみると**もう1ヶ所、幕府所在地があった**。

室町幕府最後の将軍である**第15代・足利義昭**は、後見人の織田信長と対立し、武田氏や毛利氏、一向一揆などと密かに連携して信長包囲網を構築する。しかし、反・信長勢力の足並みは揃わず、義昭は孤立。河内国の若江城に籠城して抵抗するが、天正元年（1573）に織田の大軍に攻められ、毛利氏を頼って落ち延びる。毛利氏は義昭を**備後の鞆《とも》の浦《うら》**で匿った。鞆の浦は現在の広島県東部、瀬戸内海を望む海上交通の要衝で、港町の中心にある小高い山には小城ながら堅牢な鞆《とも》城《じょう》があり、その麓に将軍・義昭が住む居館が建てられた。幕府の奉行衆、没落した多くの守護や守護代も義昭に従っており、**約6年にわたり幕府の組織は鞆の浦で維持されていた**という。この政権を「**鞆幕府**」と呼ぶ歴史家もいる。

秀吉の天下平定がほぼ確定した天正16年（1588）になると、義昭は秀吉の軍門に降り将軍職を辞した。義昭は京に帰り、出家して平穏に生きた。

現在の鞆の浦

No.058

たくさん大名がいるのに藩祖の出身地はほとんど一緒…

江戸時代の大名の7割が、愛知県出身

1万石以上の土地の支配権を将軍から委ねられた者が「**大名**」であり、その大名が支配する領域を「**藩**」と呼んだ。江戸時代は日本中に大小の藩領がモザイクのように入り組み、その数は200以上。改易や新藩の創設もあり、その数は時代によって変動するが、幕末期には270藩が存在した。各藩を創設した藩祖の故郷を調べてみると、なんと、**204藩が尾張（愛知県西部）と三河（愛知県東部）の出身者で占められていた**。75〜76％の藩祖が愛知県出身ということになる。

その理由はまあ明白だ。天下統一の寸前で倒れた**織田信長は尾張出身者**、その事業を引き継いで天下人となった**豊臣秀吉も尾張出身者**。そして、最終的に天下を獲って江戸幕府を作ったのが、**三河出身の徳川家康**なのだから。信長や秀吉の家臣で大名になった者たちは、家康の天下獲りに協力してその地位を保つ。さらに、家康も関ヶ原合戦で負け組となった西軍諸将の領地を没収し、手柄のあった家臣に与えて大名に出世させた。こうして、**愛知県出身者の割合は増えつづけていた**のである。

愛知県出身大名のなかでも家康の家臣は譜代大名と呼ばれ、領地は比較的小さいが幕府の役職を与えられて、政権の中枢に座る者が多かった。それとは逆に、ベスト10に入る大藩の薩摩藩島津家、仙台藩伊達家、福岡藩黒田家などは、すべて愛知県以外の出身者。領地は多いが**外様大名として、幕府の政治に関与することはできなかった**。

No. 059

近年では歴史の教科書からも消えている
「士農工商」という身分制度は存在しない

小中学校の歴史の授業では、江戸時代は「士農工商」という4つの身分があった、と先生から教わった人は多いはず。しかし、それは嘘。中国の古い文献に「士農工商」という言葉があるが、それは**「あらゆる人々」という意味**だ。江戸時代の儒学者が引用して使っていたものを、後世の者が見て、

「これが江戸時代の身分制度だ」

と、**間違って解釈してしまった**ようである。

実際の江戸時代の身分制度は「士農工商」の4区分とはちょっと違う。幕府は支配階級である武士と、その他を明確に分けることには神経質ではあった。が、武士以外の庶民階級についてはは関心がなかったようで**農工商といった職業の違いで、身分を分けるようなことはしていない**。

たしかに「百姓身分」という言葉はあった。しかし、それは**身分の区分ではなく、居住地の区分**と考えたほうがいい。江戸時代には郊外の農村部で暮らす者たちを百姓身分、江戸や城下町の都市部の町人居住区で暮らす者たちは町人身分としていた。農村部に住む者すべてが農業従事者ではなく、村にも職人や商人が住んでいる。また、山村であれば農民よりも林業で働く者が多く、海沿いには漁師が多数派だろう。しかし、彼らも**みんな百姓身分**なのである。

ちなみに、ひと昔前は日本史の教科書にも「士農工商」という文字が書いてあった。最近の教科書では**「士農工商」という言葉は削除される傾向にある**ようだ。

江戸時代に最も成功した改革のはずが…
享保の改革は、格差を招いた失敗政策

No. 060

江戸幕府が赤字体質改善のために幾度か行った幕政改革のうち、有名なのが第8代将軍・**徳川吉宗が主導した享保の改革**。これが**最も成功した改革**といわれ、吉宗が名君と評価される理由にもなっている。

しかし、改革は痛みを伴うものである。その恩恵を受ける者もいれば、不利益を被る者もいる。現代のアベノミクスにしても、経済的弱者には不利益のほうが多く、格差を広げただけという批判もある。享保の改革もまた同様。改革の目的はあくまで、**幕府財政の立て直し**である。そのために行った財政政策は、**増税と質素倹約**。安直で創造性の欠片もない感じ。それまで四公六民が基本だった幕府直轄領の年貢は、五公五民に引き上げられた。農民にはかなりの重税感があったようで、この後は**各地で一揆が多発**している。

贅沢品の使用を禁じ、公演などを自粛させる質素倹約令は、財政支出とインフレを抑制する効果を期待したものだ。しかし、これによって世の雰囲気は暗く、江戸に暮らす者たちは**「自粛ムード」に辟易**とした。

また、**消費の低迷により不況が発生**してしまう。重農主義の吉宗は新田開発を奨励していたが、不況下で米消費が減り、米余りの状況で幕府経済を支える米価は下落。増税で農民からいくら米を絞りとっても、価格が下がっては意味がない。

幕府は一時的に100万両の蓄財に成功したが、それもすぐに消えて**再び借金体質に**。結局、庶民を苦しめただけに終わったような……。

「新しい日本の夜明け」は悪夢で始まる…

明治新政府は、国民のウケが最悪だった

No. 061

江戸幕府が倒され、明治新政府が樹立される。坂本龍馬が夢見た「日本の夜明け」は実現された。だが、それで人々は幸せになれたのだろうか？　少なくとも庶民階級では、**幕府のほうがよっぽどマシ**と考える者は多かったようである。

明治政府は武士の特権を排除し、皆が平等に国家の構成員となる国民国家をめざした。しかし、それは**庶民にも国民としての義務を課す**ということである。その義務のなかで庶民が最も嫌悪したのは兵役だった。

明治6年（1873）に徴兵令が発布され、兵役は20歳以上の男子の義務となる。望みもしない兵隊になって拘束され、戦争となれば命の危険に晒される。農家にとっては**若い働き手を奪われる死活問題**だった。そのため徴兵令に反対する農民一揆が各地で起こっている。また、新政府は土地の個人所有を認めたが、地価に対して3％の税を課した。これによって農民の税負担はより多くなり、また、幕府の時代には納税を免れていた商工業者も税負担を強いられるようになる。軍備増強を急ぐ新政府は、**庶民からも過酷に税を取り立てた**。

さらに、維新の原動力となった志士には儒学の信奉者が多かっただけに、明治新政府の政策にもそれが反映された。家父長制が強化され、**江戸時代よりも男尊女卑の傾向は強くなる**。皇位継承権を男子に限定し、夫婦同姓を法制化するなど、現代の男女差別問題の多くが明治政府によって作り出されたものだった。

明治政府にあったハワイ国王からの異例の要請

ハワイと日本の〝連邦国家計画〟があった

No. 062

日本人が一番大好きな海外旅行先といえば、やっぱりハワイ。毎年のように訪れるリピーターも多く、コロナ禍で海外旅行が制限され、「ハワイが国内だったらなぁ」と嘆いているハワイ中毒患者も多いとか。実は、**過去にはその可能性があった**のだ。

明治14年（1881）3月のことである。ハワイ国のカラカウア王が、世界一周旅行の途中に来日して明治天皇と会談した。この時にカラカウア王から、**ハワイの王女と皇族との結婚**が持ちかけられる。王女は王位継承者である。将来的には**日本と合併して連邦国家を建設する**というのが、ハワイ王の構想だった。

この頃、ハワイにはアメリカ本土から入植者が急増し、**ハワイをアメリカに編入**させようとする不穏な動きがあった。このままでは白人にハワイを奪われると焦った国王は、同じ黄色人種の国である日本と合併して、**アメリカの侵略に対抗しようとした**のである。

しかし、当時はまだ弱小国家だった日本は、アメリカと事を構えるのを恐れて、ハワイ王の申し出を断る。すると明治31年（1898）、**アメリカはハワイ王国を併合**。その後、アメリカはオアフ島真珠湾に海軍基地を建設し、太平洋の覇権を日本と争うようになる。もしもハワイ王の提案に乗っていたら、太平洋戦争の悲劇は防げたか？

カラカウア王

No.063

明治時代には天皇や政府首脳が移動…

広島で「国会」が開かれたことがある

首都とは、国会をはじめ行政や司法などの国家機関が置かれる都市をいう。明治新政府成立時の**京都**と、明治2年（1869）に天皇が移って以降の**東京**。近代国家成立後に日本の首都となったのは、この2つの都市だというのが一般的な認識だろう。しかし、実はもうひとつ**近代日本の首都だった都市が存在**するのだ。

日清戦争開戦直後の明治27年（1894）8月、最高統帥機関である大本営を、東京から広島市の中心にある**広島城内へ移転させることが決定**した。宇品《うじな》港（現在の広島港）は、朝鮮半島へ兵員や物資を輸送する兵《へい》站《たん》基地だった。その近くに大本営を移転させることで、前線との連携もやり易くなるという判断だった。

この決定より、陸海軍の最高司令官である**明治天皇をはじめ、政府要人も広島に移動**。広島藩主の別邸だった縮景園《しゅっけいえん》は、天皇の居所や大本営副営となった。また、市内に**広島臨時仮議事堂**が設置され、同年10月の第7回帝国議会が開催されている。これが**日本の憲政史上で唯一、東京以外の場所で開かれた国会**だった。

広島大本営は終戦後の明治29年（1896）4月に解散するが、その間の1年半にわたり、広島は日本の首都として機能した。これは戦時における「**臨時首都**」だったと考えるべきだろう。

広島大本営

No. 064

海軍の歴史的な暗号文にもその山の名前が登場

戦前は、富士山よりも高い山があった

日本で一番高い山は富士山。これは小学生でも知っている常識。だが、74年前までは**富士山よりも高い山が日本に存在していた**。

太平洋戦争の敗戦により、日本は日清戦争で獲得した台湾を中国に返還している。台湾は九州よりも少し小さい程度の島だが、中央部の山岳地帯はかなり険しく高い。その最高峰である**玉山**《ぎょくざん》の標高は3952メートルにもなり、これは富士山の標高3776メートルよりも176メートル高く、**当時の日本最高峰**だった。

日本が台湾を領有した当初は、国民も新しい領土に興味津々。富士山よりも高い山があることが、新聞などでもよく紹介された。「日本が新しく得た高い山」という意味から、明治天皇によって山名を**新高山**《にいたかやま》とされる。学校の授業でも「**日本一高い山は、新高山**」と教えられていたので、戦前は富士山と同じくらい日本で最も有名な山だったという。

太平洋戦争緒戦の真珠湾攻撃で海軍は、攻撃決行命令となる暗号の電文を「**ニイタカヤマノボレ**一二〇八《ひとふたまるはち》」としている。富士山よりも新高山。当時の日本人にはそれほど象徴的意味合いをもつ山だったが、戦後に台湾を統治した中華民国により、その名を玉山に改められた。

玉山（旧・新高山）

No. 065

次期首相の指名を受け、総理大臣の座は目前

大正期に、徳川内閣が誕生しかけた

明治維新後、直轄領の大半を放棄して静岡藩70万石に縮小された徳川家は、御三卿田安家の当主・**徳川家《いえ》達《さと》**が相続することになる。

明治17年（1884）に華族令が公布され、徳川宗家の主である家達は公爵に。貴族院議員にもなったが、薩長藩閥が牛耳る政府では無力な存在。約300年にわたり日本を支配した徳川家も、**政治参加の機会は完全に消滅した**と誰もが思っていた。

明治30年（1897）、静岡にいた徳川慶喜が東京に移住し、天皇への拝謁も許される。維新から30年も過ぎると、徳川家につけられた朝敵のイメージはかなり薄れてくる。

そうなると、宗家当主である家達に注目が集まる。

家達は留学経験があり、英語は堪能で諸外国の事情に詳しく、人柄も良く天皇や元勲たちの信頼も厚い。**彼を総理大臣に推す声**が聞かれるようになり、大正3年（1914）3月には本当に実現しそうになる。

第1次山本権兵衛内閣が総辞職すると、重臣会議が**次期首相に徳川家達を指名**。家達が了承すれば第17代内閣総理大臣に就任できたのだが、**徳川家一族の猛反対により辞退**してしまう。朝敵の汚名に長年苦しめられた徳川家の人々には、政治はもうこりごりといった空気が蔓延していたという。

首相に指名された徳川家達

No.
066

日露戦争の借金は、返済に80年かかった

返し終わったのは、バブル経済が始まる直前

日露戦争（1904〜1905）当時、ロシア帝国の国力は「**日本の10倍**」といわれていた。日本政府は税金だけでは戦費を賄うことができず、銀行家のヤコブ・シフなどの協力を得て、**大量の外債を発行**。アメリカやイギリスなどの列強諸国から資金を調達している。終戦までにかかった戦費は約18億円。**当時の国家予算の6年分**に相当する額だ。そのうち借金は**1億3000万ポンド（約13億円）**に達していた。戦争はなんとか判定勝ちできたが、あてにしていた賠償金を得ることができず手放しには喜べない。

日露戦争後の日本政府は返済を開始する。発行した外債は**7%という高金利**でもあり、膨らみつづける利息にも苦しんだ。明治の頃は国費の20%が返済のために消えてゆくという厳しい状況。外貨不足からデフォルトの危機も幾度があったという。

第一次世界大戦の好景気で状況は好転するが、借金の返済はこの後もつづく。太平洋戦争後、支払いは一時中断したが、国際社会に復帰すると各国への賠償金の支払いと平行して日露戦争の外債返済も再開された。全額返済が終わったのは**昭和61年（1986）**。前年にはニューヨークで開催された先進国蔵相・中央銀行総会でプラザ合意が行われ、**バブル景気が始まろうとしていた頃**だった。

ヤコブ・シフ

No. 067

太平洋戦争末期、本土最終決戦に備えた幻の計画

戦時中、長野への首都移転計画があった

太平洋の島々が陥落し、日本の戦局が不利になってきた太平洋戦争後半。本土決戦を想定した準備が本格化する中、問題になったのが首都・**東京の脆弱性**《ぜいじゃくせい》である。敵の上陸が想定される伊豆半島や房総半島に近く、海沿いのために艦砲射撃の標的にもなりやすい。政治や軍事の中枢である首都が陥落すれば、軍は戦闘を行うのが困難になり、国家機能も維持できない。

そこで昭和19年（1944）7月には、防衛に適した**長野県松代**《まつしろ》**町**（現在は長野市の一部）**に首都機能を移転させる**ことを閣議決定。信州は海から遠く、四方を険しい山々に囲まれているから敵の侵攻ルートも限定される。**本土決戦を指揮するには絶好の地**である。

松代周辺の土地は固い岩盤層で、トンネルを掘れば1トン爆弾の直撃にも耐えられる。11月には大量の資材と作業員を送り込んで坑道掘削工事が開始される。完成すれば**坑道の全長は10キロ**にもなり、皇居や大本営、その他の政府機関や日本放送協会などの首都機能を移転させても十分なスペースが確保されるはずだった。

終戦まで昼夜の突貫工事はつづく。**延べ300万人**という労働者が投入され、**全工程の75%が完了**していた。現在はその一部が一般公開され、信州大学の宇宙線観測施設としても利用されている。

松代大本営跡

No. 068

かつてあった、複雑な思いを抱かせる優遇政策

ナチスと南アでは、日本人は名誉白人

南アフリカ共和国は建国以来、少数派の白人が大多数の黒人を支配する国だった。第二次世界大戦後には黒人の権利意識が高まり、恐怖を覚えた白人支配層は1948年に**アパルトヘイト**と呼ばれる人種隔離政策を施行している。

すべての国民を白人、カラード、インド人、アフリカ人という4つの人種に分類して登録し、人種が異なる者の結婚や性交は禁じられた。また、人種別に居住地が決められ、公園や交通機関など公共施設はもちろん、ホテルやレストラン、映画館、エレベーターなども「**白人専用**」と「**その他の人種**」に分類され、有色人種が白人専用の施設に入ると法律で罰せられた。

黄色人種である日本人も、当初はカラードに分類されていた。しかし、1961年になると日本人は「**名誉白人**」として白人用施設の使用が許される。経済発展を遂げた日本は南アフリカの重要な貿易相手だった。**経済的な理由から日本人を優遇**したのである。

そういえば、政権の都合で日本人を白人扱いしたのは、南アフリカだけではない。かつてナチス政権下のドイツでは、日独伊軍事同盟締結後に日本人を「**名誉アーリア人**」として扱っていた。当時の南アフリカもナチス・ドイツも悪名高い政権だけに、誇れた話でもないのだが……。

白人用ビーチと書かれた看板

No.069

歴史の教科書に出てくる東西ローマ分裂後の帝国

“東ローマ帝国”は、存在しない幻の国

3世紀になると、ローマ帝国は国力が衰退。北方や西方の辺境ではゲルマン人など異民族の侵入に悩まされ、東方からのペルシア軍の侵攻にも怯えていた。広大な帝国の版図《はんと》を維持することが難しくなってきたため、395年には、テオドシウス1世が**2人の息子に帝国を分割相続**させる。これを世界史の授業では「**東西ローマ帝国の分裂**」として教わり、ふたつに分かれたローマ帝国を「**東ローマ帝国**」「**西ローマ帝国**」と呼んでいる。しかし、これはどちらも正式な国号ではない。実際には東西どちらの皇帝も、自らを「**ローマ帝国の皇帝**」と名乗っており、**そこに東や西の文字をつけることはなかった**。

西半分のローマ帝国は西暦476年に傭兵隊長**オドアケルの反乱**で滅亡した。この時、オドアケルは皇帝を名乗らず、イタリア王として**帝国の東半分を支配する皇帝の宗主権**を認めている。東の皇帝が支配する国は、1453年にオスマン帝国軍の攻撃で首都**コンスタンチノープル(イスタンブール)が陥落するまで健在**だった。つまり、西の皇帝が廃位してから約1000年の間、東西分裂後のほとんどの期間を「東」でも「西」でもない唯一のローマ皇帝として君臨していたのだ。**東ローマ帝国や西ローマ帝国は実在しなかった幻の国**なのである。

東ローマ帝国の初代皇帝ゼノン

飲み水や食器、そして調味料にまで…

ローマ帝国は、「鉛」によって滅びた

No. 070

広大な版図を誇ったローマ帝国が衰退した原因については、ゲルマン民族の侵入など様々な要因があげられるが、**鉛中毒の蔓延**もまたそのひとつ。

鉛は木材同様に錆びることなく、また、鉄に比べて柔らかく加工しやすい。そのためローマ帝国の各都市に完備されていた水道設備には、**鉛を使った水道管**が用いられていた。人々は鉛が溶けた水を飲みつづける。ローマ人が大好きな風呂の湯にも、当然のこと鉛が大量に混入している。また、当時は食器類や建物の建材にも鉛が多く使用され、日常生活の中には鉛があふれていた。

さらに極めつきは、食材にまで鉛を使っていたことには驚いてしまう。鉛は酢で溶かすと、化学変化を起こして甘みの強い酢酸鉛になる。これをワインに入れて飲んでいたというから、もはや自殺行為である。

ローマ人は**現代人の5〜10倍の鉛**を摂取しつづけた。鉛を長期間摂取しつづけると鉛中毒を起こし、不眠や便秘、貧血、痛風などの症状が現れてやがて死に至る。中世の頃は毒殺にもよく鉛が用いられた。徐々に体が衰えてゆくため、毒を盛ったことを疑われる心配がないという。気がつかぬうちに**鉛毒に侵されて死んでいったローマ人は多いはず**だ。

また、歴代ローマ皇帝には精神異常を起こした者も多いが、これも**鉛の影響が考えられる**。精神障害は鉛中毒の典型的な症状。皇帝がまともな精神状態であれば、帝国はもう少し長く繁栄したかも？

No. 071

イギリスの公用語は、フランス語だった

英語が公に使われるようになったのは近世になってから

英語ができれば世界中どこを旅してもコミュニケーションがとれるし、国際ビジネスの場では英語が必須。19世紀に世界を支配したイギリスによって、母国語である英語が北米大陸をはじめとする植民地や勢力圏に広まり、いつしか**世界共通言語として使われる**ようになった。しかし、その発祥地であるイギリスで英語が公用語として使われるようになったのは、実は近世に近くなってからのことである。

1世紀頃のイギリスはローマ帝国が支配する地で、土着のケルト人が多く住んでいた。そのため使われる言葉もラテン語とケルト語。英語のルーツとなったゲルマン系の言語を話すアングロ人やサクソン人は、ローマ帝国が撤退した後の**5〜6世紀にイギリス本土に移住**してきたといわれる。そして、1000年近い年月をかけてゲルマン系の諸言語が英語へと進化していったが、現在使われている英語が完成したのは16世紀頃だとされている。

また、1066年には、イギリス本土はフランスにあったノルマンディー公国の支配を受けるようになる。支配階層であるノルマン人の王族や貴族は**フランス語**を話し、これがイギリスでも**公用語**となった。**上流階級はフランス語**、そして、昔からイギリスに土着する庶民階級は、**英語への進化途上にあったゲルマン系言語**を話す。そんな状況が、ノルマン人の支配を受けていた**約300年間もつづいた**。その影響もあり、現在の英語にフランス語由来の言葉は多い。

スペインは、イスラム教国だった

コルドバにかつてイスラム王朝の首都が存在

No.072

スペインはヨーロッパ随一の名族である**ハプスブルク家**が支配していた地。かつてキリスト教世界のリーダーとして君臨し、国内にはトレド大聖堂やサグラダファミリアなど、有名な教会建築も多い。しかし、スペインの歴史を遡ってみると、**イスラム教徒によって支配された時代がある**ことに驚かされる。

711年、スペインがあるイベリア半島に、ジブラルタル海峡を挟んで対岸にある北アフリカから**ウマイヤ朝のイスラム勢力**が侵入。この頃、強大な王国が存在しなかったイベリア半島は、その大半をイスラム勢力が支配するようになる。イスラム勢力は異教徒に対して宥和政策を取ったことから、支配者のイスラム教徒と土着のキリスト教徒が平和に共存していたという。

11世紀になると半島北部に残っていたキリスト教勢力による「**国土回復運動（レコンキスタ）**」が活発になり、13世紀中頃にはイスラム勢力が駆逐されて、イベリア半島は再びキリスト教徒の手に戻った。その間、500年以上もイスラム教徒が支配していただけに、文化や建造物などにはイスラムの影響が色濃く残っている。

なかでも有名なのが8世紀に**後ウマイヤ朝**が開かれた南部の都市**コルドバ**。その歴史的な街並みは、**世界遺産に登録**されている。

コルドバのメスキータ（礼拝堂）

アメリカ建国の父の冗談がきっかけ

サマータイムは、ジョークから始まった

No. 073

日の出時刻が早まる春から夏の時期に時計の針を1時間早め、太陽の光を有効に活用しようという**サマータイム**。欧米を中心に現在は70カ国以上がこれを導入している。夏場にヨーロッパに行った日本人旅行者が「もう夜の8時なのにぜんぜん日が暮れない」と、驚いたりすることがよくある。

サマータイムが初めて実施されたのは、1916年4月のことである。第一次世界大戦を戦っていたドイツが、資源節約を目的に導入したという。

その発想はすでに18世紀からあり、最初にこれを提唱したのは、アメリカ合衆国建国の父の1人である**ベンジャミン・フランクリン**だったといわれる。彼が駐仏大使としてパリに赴任していた時、目覚めて時計を見たところ、まだ時間は早朝の6時。ところがすでに日は高く昇り、部屋が明るくなっていたことに驚いた。

「夏場はこんなに早くから明るくなるんだ」

素晴らしい発見をした気分になり、そのことを雑誌でも語る。そして、**人々が日の出とともに起きて働き、夜早く寝れば蝋燭やランプの燃料を節約できる**と主張した。これを契機にサマータイム導入が議論されるようになったのだが、実はフランクリン自身は夜更かし好き。**軽い冗談のつもり**で、実現するわけないと思っていたようだ。

ベンジャミン・フランクリン

記念日の由来になった日はまだイギリス領

カナダ人は、独立記念日を間違えている

No.
074

カナダでは毎年**7月1日を建国記念日**として、国内各地で様々なイベントが催される。建国記念日をこの日に定めたのは、**1867年7月1日に「英領北アメリカ法」が採択**されたことによるもの。2017年には建国150年の節目にあたり、とくに盛りあがっていたが……「俺たち、この時はまだ独立してなかったんじゃないの?」と、冷静に考えてみれば疑問を抱く人も多かったはず。

1867年に採択された英領北アメリカ法の内容は、北アメリカ大陸にあったイギリス植民地をひとつにまとめて再編するというもの。これによって**連邦制のカナダ自治領が誕生**し、高度な自治が行われるようになった。が、あくまでイギリス議会が植民地に対して制定した法律であり、**この時点ではまだカナダは独立していなかった**ということになる。

第一次世界大戦後に創設された国際連盟に、カナダはイギリスとは別個に加盟しているが、この時もまだ独立国ではなく、**イギリスの自治領**という身分に変わりはなかった。名実ともに独立国となったのは、**1931年12月11日**にイギリス議会が**ウェストミンスター憲章を制定した時**と考えるのが順当だろう。

ウェストミンスター憲章とは、イギリスが海外にもつ自治領に対して外交権を与え、女王に忠誠を誓うイギリス連邦の構成国としたもの。これによって**カナダの独立が承認**された。カナダの「独立記念日」とするならこの日、12月11日が正しいのではないか?

No. 075

ホワイトハウスは、もともと白じゃない

建造当時の大統領官邸はまったく違う色

アメリカ大統領が居住して執務を行う**ホワイトハウス**は、日本の首相官邸に相当する政権の中枢だ。首都ワシントンの名所であり、アメリカでは最も有名な歴史的建造物。建物すべてが真っ白に塗り固められ、たしかにその名の通りの眺めではある。しかし、この建物は**最初から真っ白だったわけではない**。

この建物は西暦1800年に完成し、第2代大統領ジョン・アダムズが移り住み大統領官邸として機能するようになる。竣工時、石積みの外壁は塗装されておらず、**天然石の渋い色合い**だった。当然、この頃は「ホワイトハウス」ではなく、たんに大統領官邸と呼ばれていた。しかし、1812年に始まった米英戦争で、イギリス軍の襲撃を受けて建物は**黒焦げの廃墟**になる。戦後に復旧させて再び大統領官邸として使用されるようになるが、外壁は煤《すす》がびっしりとこびりついていた。これではあまりにみっともない、ということで、**煤で汚れた外壁を白いペンキで塗りつぶした**のだ。

真っ白に生まれ変わった大統領官邸は**「ホワイトハウス」の愛称で親しまれた**。そして、1902年に第26代大統領セオドア・ルーズベルトが増築工事をした際に、これを正式名称とすることが決められた。ちなみに現在の外壁は、**少し黄味がかったクリーム色**である。

19世紀中頃のホワイトハウス

国家を挙げての大規模な嫌煙キャンペーンを開催

禁煙運動は、ナチス・ドイツが最初

No. 076

ポーランドなど近隣諸国を侵略して第二次世界大戦を引き起こし、ユダヤ人を大量虐殺するなど、ナチス・ドイツによる悪行の数々は、ヨーロッパに深い傷跡を残した。

しかし、ナチスが始めた事で、近年に世界中が真似しているものがひとつある。それは**禁煙運動**。ちなみに、連合国の指導者であるイギリスのチャーチル、アメリカのルーズベルトは愛煙家として知られるが、**ヒトラーとムッソリーニはタバコを吸わない**。ヒトラーはタバコを毛嫌いしており、部下たちも彼の前では絶対にタバコを吸わなかったという。

そんなヒトラーが１９３３年に政権を執ると、すぐに政府主導による**大規模な禁煙キャンペーンを開始**した。研究者を動員して喫煙と病気の関係を徹底調査させ、タバコによる健康被害の実態を公表して国民を啓蒙する。また、様々な禁煙政策を実行し、１９４５年頃になると**ドイツの喫煙者人口は半減した**といわれる。

タバコ税の増税、タバコ広告の禁止、公共の場での喫煙禁止、レストランや喫茶店での喫煙制限など、近年になって各国で採用されたこれらの禁煙政策も、すべてては**ナチス政権下で最初に実行されたもの**だ。しかし、ヒトラーを「禁煙運動の父」とは、**口が裂けても呼べないだろう**……。

ナチスの反タバコポスター

No.077

本来は女性蔑視の宗教ではない…

イスラム教は、女性思いのフェミニズム

イスラム過激派組織の支配地では、女子の学校教育を禁じ、女性に髪や顔を隠すことを強要している。そのため、**イスラム教は女性を蔑視**しているといった誤解が広まっているが、イスラム教の聖典「コーラン」には「髪を隠せ」「顔を隠せ」とは一切書かれていない。法律で女性のスカーフ着用義務があるのはイランだけ。他のイスラム教国では、**基本的に被るのも被らないのも本人の自由**だ。

女性の教育についてもコーランでは、男性も女性も知性を得るべきだ、とむしろ**女性の勉学を奨励**している。一夫多妻制を認めているのも、戦争未亡人など戦乱の中で発生した**困窮女性を救済するための措置として必要**だったから、ともいわれる。

7世紀にイスラム教が成立する以前は、**極端な男性上位社会**。女性は家畜同然と考える傲慢男も少なくなく、「不要だ」と産まれたばかりの女児を埋めるといったことも平然と行われていた。そんな世に、女性が自由意志を持ち、自らの責任で行動し、男性に対して一定の権利を持つと説いたイスラム教が浸透したことで、**蔑まれていた女性の地位も劇的に向上した**のだとか。これを聞くと女性蔑視というよりはその逆。**とてもフェミニスト**な感じがするのだが。

「コーラン」の女性に関して記した部分

No. 078

王朝の遺跡を発掘調査したら大発見

中国最古の殷王朝、実は全然違う名前

中国の歴史で必ず最初にでてくるのが**殷《いん》王朝**。紀元前1600年頃~紀元前1046年までつづいた中国最古の王朝とされている。近年までこの王朝に関する遺跡や遺物は発掘されず、後世の周代や漢代に書かれた歴史書にその記述があるだけ。そのため、**実在しない幻の王朝**ではないかと考える歴史家は多かった。

しかし、1900年に河南省安陽市で発見された古代遺跡を発掘調査した結果、それが王朝の都だったことが判明する。

遺跡は「**殷墟《いんきょ》**」と名付けられ、王朝の実在は証明される。遺跡から発掘された大量の甲骨文字により、王朝の様子も詳しく知ることができた。これによって**「殷」という王朝が存在しないことも判明**する……どういうことか?

この王朝は、周王朝の初代・武王によって滅ぼされた。周では自分たちが滅ぼした王朝のことを「殷」と呼び、後世に司馬遷が中国の歴史をまとめた『史記』も、そのまま殷の名前が使われたのである。**王朝の人々が自ら殷を名乗っていたわけではない**。

殷墟から発掘された文字のなかに「**大邑商《だいゆうしょう》**」という言葉がみつかる。古代中国には多くの都市国家があり、それを邑と呼んだ。大邑はその中心で、都市国家群によって形成される王朝の首都。「**商の首都**」といった意味。つまり、殷墟を都としていた王朝は、自分たちの国を「**商**」と呼んでいたようだ。最近ではその事実に則して「**殷(商)**」といった記述も増えてきた。

No.079

台湾の首都は、「台北」ではない

いまだに続く中国本土との内戦状態

　第二次世界大戦後、日本軍が去った中国では国民党と共産党の争いが再燃して内戦状態となる。そして、戦いに敗れた蒋介石の中華民国政府は、1949年12月に大陸を脱出して**台湾**に逃れて現在に至っている。

　いま世界中の人々に「**台湾の首都はどこ?**」と問えば、大半の人々が**台北**《タイペイ》と答えるだろう。中華民国の国家元首が執務する総統府や国会、中央省庁はすべて台北に集中しているのだから。しかし、中華民国政府は台北を首都に定めてはいない。台湾に逃れた後も共産党とは停戦しておらず、韓国と北朝鮮と同じように、戦闘こそ発生していないが今も内戦状態なのである。

　1912年3月に中華民国政府は北京を首都と定めたが、軍閥との戦いで力を蓄えた蒋介石の政権が樹立されると、1927年に南京へ政府機能を移す。そして1931年に制定された中華民国訓政時期約法第5条で「中華民國國都定於南京」と明記して、**南京を正式に首都として定めている**。

　この後、日中戦争で南京を日本軍に占領されると、蒋介石は四川省の重慶を「臨時首都」として対日戦を主導した。台北もまたこの時の重慶と同じで**臨時首都**であり、いずれ中国本土を共産党から奪い返し、**首都・南京に帰還するまでの仮住まい**という位置づけだ。2016年に馬英九《ばえいきゅう》前総統が首都について質問された時に「今は台北だ」と発言し、話題になったこともある。しかし、台湾政府の正式見解は出ておらず、曖昧なまま現在に至っている。

【第四章】

「ホント!?」と驚く歴史雑学

文化と風習 編

No. 080

男色を匂わせるキワドイ場面が満載

『日本書紀』は、日本初のBL小説

神代から第41代持統天皇までの歴史を綴った**『日本書紀』**は、国家事業として編纂された**日本最初の「正史」**である。しかし、読んでみれば**ボーイズ・ラブを匂わせる記述があちこちに**。国家が正統の歴史書としてお墨付きを与えたものがそれではマズいと思うのだが。

たとえば、三韓征伐で知られる神功皇后の段。皇后と群臣たちは遠征先で、何日も太陽が現れない異常気象に悩まされた。それは同性愛関係の神職を同じ棺に入れて葬った「**阿豆那比《あずない》の罪**」が原因だと知る。急いで墓を掘り返し遺骸を別々に葬ると、陽はまた昇るようになったという。

古代史のヒーローであるヤマトタケルは、『古事記』にも女性と見間違うような美青年だったと書かれている。『日本書紀』ではさらに、女装したヤマトタケルが宴会に紛れ込み、敵対する熊襲建《クマソタケル》にハニートラップを仕掛ける描写がある。この時、熊襲建は酒に酔って、ヤマトタケルの体をあちこち触って楽しんでいる。触れば〝男の娘〟と気がつきそうなものだが……**それでもOKだったのか!?**

また、熊襲建を殺害したのは、すでに夜は更けて人々が寝静まった頃である。熊襲建は**やる事をすべて済ませて満足**して寝入っていた。そう考えるのが自然だろう。

女装するヤマトタケル

No. 081

奈良時代は、箸よりスプーンが主流

汁物や粥を食べるときの必需品

箸だけを使って食事する民族は、世界でも日本人が唯一。日本に箸を伝えた中国でも、汁物はレンゲやスプーンを使う。それだけ日本人は箸への愛着が強い。

さて、日本人が箸を使うようになったのは、いつ頃からだろうか？　すでに**弥生時代**から竹を折り曲げた折箸が、儀式用の祭器として使われている。しかし、『魏志倭人伝』には「**倭人は手食する**」とあり、**上流階級の人々でも普段の食事はすべて手掴み**だった。また、古墳時代になっても箸は使われていなかった。葬られた者があの世でも困らぬように、古墳には生活用具一式が副葬品として埋められている。だが、箸だけはそこから発掘されていない。

飛鳥時代になり**遣隋使の小野妹子**が箸を持ち帰り、日本人もその存在を知る。すぐに朝廷の食事に採用され、奈良時代の貴族は箸を用いるようになった。また、箸と一緒に伝えられた**匙（スプーン）も広く普及**し、その使用頻度は現在の日本人よりずっと多かった。**汁物や粥を食べる時には必ず匙を使った**という。清少納言の『枕草子』にも金属製の匙を使うシーンがある。

外国人観光客が慣れない箸に辟易して、スプーンやフォークを求めるのをよく目にする。日本人もこの道具を使いこなせるまでに、**スプーンとの併用期が存在していた**。

平安時代の食事風景。箸がある。

No.082

現存する世界最古の印刷物は、日本製

奈良時代に約6年をかけて100万部を発行

15世紀にドイツの**ヨハネス・グーテンベルク**が、現代印刷の基礎となる**活版印刷を発明**した。しかし、印刷という技術そのものは、もっと昔から存在する。その歴史は7世紀、**唐代の中国にまで遡る**。仏像を描いた木版に墨を塗って仏像画を大量に刷ったのがその発祥。**遣唐使により技術は日本にも伝えられた**。

天平宝字8年（764）に恵美押勝《えみのおしかつ》（藤原仲麻呂）の反乱が起こり、大規模な軍事衝突によって大量の死傷者が発生した。称徳天皇はこの事態を嘆き、犠牲者を弔うため**100万基にもなる木製小塔の製作**を思い立つ。小塔の内部にはそれぞれ陀羅尼経《だらにきょう》の経文を入れることにしたのだが、なにしろ100万基という数。経文をいちいち手書きしていると途方もない作業になる。そこで唐から伝わった木版印刷の技術を用いることになった。157名の印刷技術者を動員して約6年を費やし、宝亀元年（770）には、延命や除災を願う**「無垢《むく》浄《じょう》光大陀羅尼経《こうだいだらにきょう》」の経文100万巻の印刷を完了**する。

経文は小塔に納めて諸寺に奉納された。そのうち法隆寺に納めた**4万6000基の小塔が現存**し、内部には印刷された経文も残っている。この無垢浄光大陀羅尼経は**現存する世界最古の印刷物**とされている。

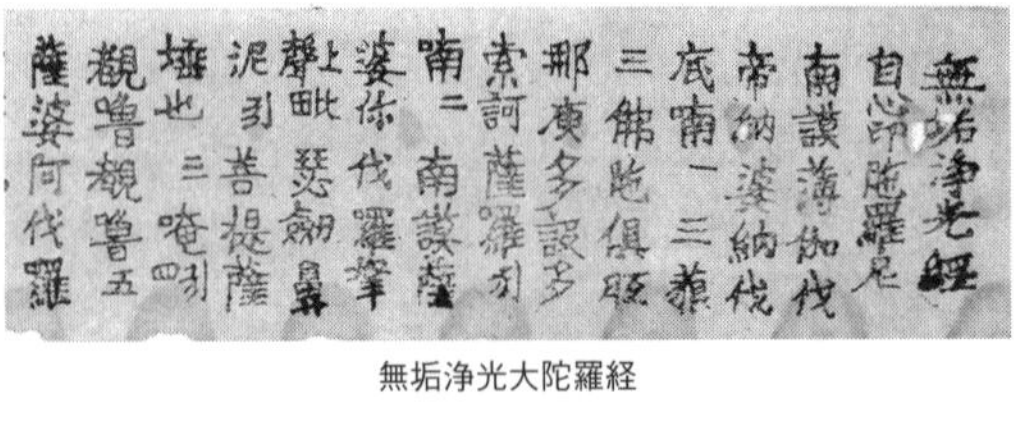

無垢浄光大陀羅尼経

No.083

昔は「長雨」や「五月雨」と表現

梅雨は、戦国時代まで存在しない

5月から7月の頃、空は曇り雨が多くなる。この日本特有の気象現象は梅雨と呼ばれ、歌や俳句にも詠まれてきた。松尾芭蕉の句にも「**梅の雨**」などの季語が見つかる。

しかし、梅雨が季語に使われるようになったのは、近世になってからのことで、**平安時代や鎌倉時代にはその言葉すら存在しなかった**。『万葉集』では梅雨を「**長雨**《ながめ》」と表現し、平安時代の和歌では「**五月雨**《さみだれ》」という言葉が使われるようになる。この他にも「五月闇」「五月空」などの言葉で、長い雨の季節を表現していた。

梅雨という言葉が、日本の歴史上初めて現れるのは、**戦国時代の天文14年（1545）のこと**だ。この年、後奈良天皇が賀茂神社に梅を奉納して豊作祈願をしたところ恵みの雨が降り、人々はこの雨を「**梅雨**」と呼ぶようになったという。また、梅雨という言葉は**中国から伝えられた外来語**だったという説もある。長江流域では「梅が熟す頃になると長雨が降る」という意味で、これを「梅雨」と呼んでいた。それが日本に伝わったというのだ。梅雨という言葉の発祥については、いまだ不明なところが多いが、江戸時代になると、庶民の間にも浸透していた。

明治5年（1872）に新政府は**太陽暦による新暦を採用**し、5月を指す時期は1ヶ月前にずれてしまう。このため「五月雨」は使われなくなり、雨季の晴れ間を表現する**「五月晴れ」も、初夏の快晴をイメージする言葉に変貌**した。

【第四章】「ホント!?」と驚く歴史雑学 文化と風習編

兵糧攻めに備えて土壁や畳に食物を保存

戦国時代、城は食べものだった

No. 084

戦国時代後期になると、大名たちは**専業武士による常備兵力を保有**するようになる。臨時雇いの農民兵が主力だった戦国初期とは違って、常備軍団は農繁期も撤兵せずに、1年中戦いつづけることができる。そのため攻城戦は、長期間の兵糧攻めが主流になった。守る城方としては、食料を確保して備える必要がある。

兵糧蔵に米を備蓄するのは当然のこと、城内の**土壁にも食料を詰めて塗り固める**。備蓄米が底をついたら、壁を壊して食料を取り出して食べたという。壁に塗り込める食料は**昆布やスルメなどの乾物**が多かった。昆布は出陣の儀式にも使われる縁起の良い食物であり、ビタミンやミネラルも豊富なことからとくに好まれた。乾物から染みだした塩分は、土壁にも染み込んでいる。

長期間の籠城では塩分がとくに不足する。塩を欲する城兵たちは、先を争ってこの**土壁を頬張った**という。

また、築城名人として知られる加藤清正は、**サトイモの茎を芯材にした畳**を作らせ、これを熊本城内に敷き詰めた。サトイモの茎を味噌で煮しめたものは、鎌倉時代から戦場の携帯食として食べていた。保存性も抜群。熊本城築城から270年後の西南戦争で、籠城した政府軍兵士たちは、**このサトイモの茎を畳から取り出して食べ飢えをしのいだ**と伝えられる。

明治初期の熊本城

No.085

江戸時代の庶民も、名字を持っていた

名字は武士だけに許された特権ではない

江戸時代、身分制度の頂点に立つ武士には様々な特権が与えられた。その代表的なものが**名字帯刀**。つまり、名字を名乗り腰に刀を差せたこと。これによって農民や町人との区別も明確になる。しかし、当時の庶民に名字がなかったわけではない。

武士以外の庶民が名字を持つことは可能だった。ただそれを**公の場で名乗ることを禁じられていただけ**。平安時代末期になると諸国に割拠した武士たちが、それぞれの家を特定できるように、昔から使っていた源氏や平氏などの「氏」にくわえて、名字を名乗るようになった。住んでいた土地の名、地形の特徴などを名字にすることが多かったという。

やがて農民の間にも武士を真似て名字を作る者が増え、戦国時代末期には**庶民階級にも名字はかなり普及**していたようである。江戸時代になって名乗ることは禁じられたが、墓石などに名字を刻むことは黙認されており、江戸時代末期の庶民の墓石を検証したところ、**半数近くに名字が刻まれていた**。

維新後の明治8年（1875）に「**平民苗字必称義務令**」が公布され、すべての国民が名字を名乗ることを義務付けられる。先祖から受け継いだ名字を使う者もかなりの数いたはずだ。

江戸時代の庶民

No.086

切捨て御免は、武士のリスクが高すぎる

「相手の無礼」を証明できなければ重罪

切捨て御免は、武士の特権のひとつ。この別名を無礼討ちとも言う。武士を侮辱したり無礼な行為を働いた庶民を斬り殺しても処罰されないというもの。侍の袴に水をかけたりして「無礼者！」と斬られる町人とか、時代劇ではよく見かける。が、**実際にはその程度のことで、武士が刀を抜くことはなかった**。

切捨て御免は幕府が定めた「公事方御定書《くじがたおさだめがき》」に明記されており、間違いなく武士の特権として認められている。しかし、特権を行使するには覚悟が必要だ。無礼討ちが許されるのは「**相手の無礼が明白である**」ことが条件。無礼討ちした後は、すみやかに幕府の関係機関に届出せねばならない。この時には**無礼を証明する証人も必要**で、これは当事者が探して連れて行かねばならない。

役人たちが数週間かけて調査する間は、刀は証拠物件として押収されて自宅謹慎させられるというから、**ほとんど容疑者の扱い**。プライドの高い武士には、これだけでも耐えられないことだろう。詮議の結果、無礼討ちが正当だったと認められたらよいのだが、もし も認められなければ、**切腹や家名断絶などの罰則**を科せられる可能性がある。

また、無礼討ちが証明されても、後始末など含めてかなりの費用もかかる。それを考えると、多少無礼なことをされても、そう簡単に刀を抜くことはできなかった。実際、**生涯刀を抜いたことのない武士も江戸時代には大勢いた**という。

当時は葬式も切腹も白装束が基本

江戸時代の喪服は、黒ではなく白

No.087

　葬式には黒い喪服を着る。それは誰もが知っているしきたりだ。が、それはさほど古いしきたりではなく、江戸時代の喪服の色は黒ではなかった。江戸時代の葬儀で参列者が着る喪服は、黒とは真逆の色、結婚式の花嫁が着る**ウェディングドレスと同じ白色**だった。

　中国では古代から青、赤、黄、白、黒の五色を五行思想に対応させ、それぞれの色に意味を持たせてきた。そのなかで**白は「死」をイメージするもの**。葬儀も中国では「白事」と呼び、参列者は白い麻の喪服を着る。日本もそんな中国文化の影響を受けて、明治時代以前まで白は死を表す色と考えていた。喪服だけではなく、**武士が切腹する際には必ず白装束**だった。

　日本人が黒い喪服を着るようになったのは、**明治維新後**のことである。欧米文化圏で死をイメージする色は黒であり、喪服の色も黒だった。欧化政策を推進していた明治新政府がこれを真似て、喪服の色も白から黒に改めようとしたのである。

　明治30年（1897）に明治天皇の嫡母・英照皇太后の大喪が行われた時、政府から喪服についての心得が示される。それには**和装は黒紋付、洋装ならば黒のネクタイとすることが明記**されていた。この頃から一般国民にも黒色の喪服が急速に普及する。

江戸時代の切腹の様子

No.088

膃肭臍にハンザキ、女悦丸、惚れ薬…

江戸時代にも、バイアグラが大ブーム

海外旅行に出かけると強壮剤を買い漁る。それが日本人中高年の顕著な特徴として、ツアーコンダクターやガイドの間では話題にもなっているという。それは日本人の遺伝子に刻み込まれた性《さが》なのかもしれない。江戸時代の男たちもまた、**強壮剤が大好き**だった。

江戸の男たちが「これが一番効く」と信じた最強の強壮剤、現代でいうバイアグラのような存在が「**膃肭臍**」である。この難解漢字は「**おっとせい**」と読む。江戸時代はオットセイやアシカ、トドなどの海獣を総称した意味。**海獣の陰嚢や睾丸を乾燥させた強壮剤**が、高額ながらよく売れた。飲めば絶倫となり、男性機能の衰えが改善されると信じられていた。大勢の側室に55人の子を産ませた第11代将軍・徳川家斉《いえなり》もその愛用者で、巷では「**オットセイ将軍**」などと呼ぶ者もいたという。

この他にも、江戸の市中では様々な強壮剤が売られていた。オットセイと人気を二分したのが、**オオサンショウウオを原料とした強壮剤**。体を半分に裂かれても生きていることから〝ハンザキ〟の別名で呼ばれ、その驚異的な生命力にあやかろうというのだ。

女性用の媚薬としては「**女悦丸**《にょえつがん》」なる薬があり、これを女陰に塗ると、男が欲しくてたまらなくなるという触れ込みで販売されていた。また、飲めば恋愛体質になるという〝**惚れ薬**〟も当時のヒット商品。こちらはイモリの黒焼きを粉末にしたもので、なにやら、呪術的な感じも多分にあるのだが。

No.
089

大食いだけでなく、酒の飲み比べまで開催

江戸の街では、フードファイトが大流行

フードファイトが大流行して、早食い・大食い大会がテレビで連日のように放送される時代があった。これが戦後の流行と思いきや、その歴史は意外に古い。江戸時代には、飲食店や祭の客寄せに**大食い大会が催されることがよくあった**という。『南総里見八犬伝』の作者・滝沢馬琴も文化14年（１８１７）に見物した大食い大会について書き残しているので見てみよう。

滝沢馬琴が見たフードファイト大会は、両国・柳橋にある有名料亭「万八楼」が主催したもので、白米、菓子、蕎麦、ウナギ、酒の5部門に分けて勝者を競うというものだった。江戸中から選りすぐりの大食い自慢２００名が集まり、食べた量に見合った賞金が貰えるというので、**参加者は必死で食べまくる**。

白米の部の勝者は**どんぶり68杯を平らげている**が、ご飯にかけた醤油の量も2合と**致死量に近い**。多くの出場者が命の危険を感じ、大半の者が途中で棄権したという。菓子の部では**饅頭50個に薄皮餅30個、羊羹7本を完食した強者**が現れた。

また、最も健康上の危険が大きいと思われる酒の部では、**6升半（約12リットル）の酒を飲んだ**人物に注目が集まった。73歳の男性、現代ならば90歳を超えた超高齢者。最後の盃は飲み干せずに倒れたが、観客も爺さんの健闘に大喝采したという。

江戸時代の大食い大会の様子

No. 090

もともとは江戸時代の役者たちの業界用語…

「ヤバい」は、江戸時代発祥の隠語

「マジ」「**ヤバい**」「**グレる**」なんて言葉は、近年に生まれた若者言葉だと思っていた。実際、これらの言葉がよく聞かれるようになったのは、80年代のつっぱりブーム以降のこと。しかし、これらの言葉の発祥をたどれば、**江戸時代にまで遡る**というから驚いた。

まずは「マジ」であるが、これは**江戸時代の役者たちが使っていた言葉**。現代でも放送業界の人々は、言葉を逆にしたり短くしたりする暗号のような業界用語を使う。それと同じで、これは江戸時代の興行界で使われた業界用語。また、「ヤバい」は**遊び人たちの隠語**だった。江戸時代は「矢場《やば》」と呼ばれる射的場が、無届けで売春宿を兼業することが多く、奉行所に踏み込まれ、客が検挙されることもある。そんな危険がある場所だけに、危険を意味する「ヤバい」という隠語ができあがる。しかし、最近ではその意味も変化して「最高だ」「すごく良い」という褒め言葉にもなっている。

また、最近は「半グレ」なんて言葉もよく使われるが、この「グレる」もまた**江戸時代発祥**の言葉。二枚貝の殻をひっくり返すとピタリと合わなくなることから、〝はまぐり〟を逆に言った〝ぐりはま〟が、**物事が食い違うことを意味する言葉**として使われていた。それがやがて反社会的な不良少年を意味する言葉になる。〝ぐりはま〟という言葉も年月が過ぎるうち訛って〝ぐれはま〟となり、**端折って「ぐれ」「ぐれる」と言われるようになった**とか。江戸時代末期の頃には、これも普通に使われた言葉だった。

No. 091

セーラー服は、ムラムラ防止のために導入

お馴染みの制服の導入秘話

〝セーラー服〟という言葉に、可愛い女子高生の姿をイメージして欲情する男性もいるかもしれない。しかし、その発祥は19世紀に**イギリス海軍が採用した水兵服**。その後は各国海軍でも採用され、ヨーロッパでは、子ども服や小学生の制服にまでそのデザインを取り入れるようになる。そのため海軍側が意図してなかった「可愛い」というイメージも生まれてしまった。

明治4年（1872）には、日本海軍もセーラー服を水兵服に採用。幸い、当時の日本は大半が和装なだけに、セーラー服を子どもに着せるようなことはなかった。ところが、大正9年（1920）になると、京都の**平安女学院がセーラー服を制服に採用**する。この後、東京や大阪でもセーラー服の女学校が増えていった。

庶民にも洋装が増えてきた頃で、学校でも洋装の制服の導入を考えるようになる。しかし、洋服は和服よりも露出が多くなるだけに、男たちがスカート姿の女学生を見て欲情しないようにせねばならない。そこで、「男っぽいイメージのセーラー服なら、**男たちも変な気を起こさないだろう**」

との理由で学校側がセーラー服を採用したとする説がある。しかし、人のイメージは簡単に変わる。セーラー服の学生が増えると、**むしろ逆のイメージが定着**してしまった。

大正時代のセーラー服

【第四章】「ホント!?」と驚く歴史雑学 文化と風習 編

No. 091

開催されていれば、アジア初の冬季五輪になった

中止になった幻の札幌冬季五輪がある

コロナウイルスのパンデミックにより東京五輪は令和3年（2021）に延期されたが、仮に中止になれば、戦前の昭和15年（1940）につづき、2度目のも中止になる。いや、よく調べてみると**3度目**になるか？

実は戦前に中止となったのは、東京五輪だけではない。昭和15年2月には、**札幌での冬季五輪の開催も決定していた**のだが、こちらも日中戦争の影響で日本が開催権を返上していたのである。

栃木県の日光、長野県の志賀高原などのライバルを破って日本の第一候補となった札幌は、IOC総会でも欧州のライバルを退け、1940年の冬季オリンピックの開催地に正式決定。実現すれば**アジア初の冬季オリンピック**となるはずだった。

札幌市の中島公園に屋内・屋外スケート競技場を新設し、大倉山ではスキージャンプ、神社山ではボブスレーなどを行う予定だった。世界に中継するために、無線電話やテレビ放送などの研究も行われたが、昭和13年7月に東京夏季五輪と合わせて開催権を返上する。

札幌で冬季五輪が開催されたのは、**幻の大会から32年後**の昭和47年（1972）のこと。日本人選手団は地元の声援をバックに奮闘。スキージャンプ（70メートル級）では**表彰台を独占する快挙を達成**。その活躍から「**日の丸飛行隊**」の愛称が生まれている。

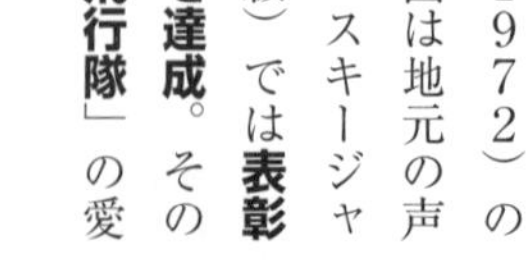

幻の札幌冬季五輪のエンブレム

No. 093

戦後、日本政府直営の売春施設があった

一般女性を守るための〝性の防波堤〟

昭和33年（1958）の売春防止法の一部改正によって、売春行為は犯罪として処罰されるようになる。しかし、それ以前の日本では**政府が売春組織を作って、売春婦を募った**時代があった。

昭和20年（1945）8月15日、日本はポツダム宣言を受諾して連合国軍に占領統治されることになった。アメリカ軍兵士が上陸してくれば、市中での強姦事件が増えるだろうと心配する声が大きくなる。

政府は日本人女性の貞操を守るために、資金を供与して**特殊慰安施設協会**を設立させる。協会は「進駐軍慰安の大事業に参加する新日本女性の率先協力を求む」と求人広告を打ち、慰安婦を集めた。つまり、彼女らを〝**性の防波堤**〟にしたのである。約5万人が集まったのだが、仕事内容を知って「まさか売春させられるなんて」と逃げだす女性もいた。が、困窮のために、背に腹はかえられず決心する者も多かった。

協会では進駐軍が上陸してくる大森海岸をはじめ、**東京に33ヶ所の慰安所を建設**。どの慰安所にも若い米兵が殺到し、盛況だったようである。女性たちも金銭的にはそれなりに潤ったが、予防措置が徹底されず性病が蔓延。そのため昭和21年3月に**進駐軍が慰安所の閉鎖を命令**し、協会も解散している。

慰安所に集まる米兵たち

No. 094

てるてる坊主の由来は、僧侶の生首

童謡にはそぐわない血なまぐさい伝承…

てるてる坊主を軒先に吊るして「**明日は天気になりますように**」とお願いする。日本では江戸時代の頃から始まった風習だという。最近はあまり見かけなくなったが、昭和時代の子供たちは遠足や運動会の前日には、てるてる坊主を吊るして「てるてる坊主　てる坊主　あした天気にしておくれ」と唄ったものだ。

実はこの童謡には2番と3番の歌詞もあり、

「てるてる坊主　てる坊主　あした天気にしておくれ　それでも曇って泣いたなら　**そなたの首をチョンと切るぞ**」

というのが3番の歌詞。子どもたちに聞かせるのは残酷だということで、2番までしか歌わなくなったという。

この童謡が発表されたのは大正10年（1921）のことで、作詞を担当したのは小説家で俳人でもあった浅原鏡村《あさはらきょうそん》。どうやら彼は、てるてる坊主の起源を調べたうえで作詞したようである。

その起源というのが……昔の中国に経を唱えるだけで雨をピタリと止ませる神通力をもつ僧がいた。ある日、領主がその僧に雨を止ませるように依頼して経を唱えてもらったのだが、翌日になっても雨は止むことなく降りつづき、これに怒った領主は僧の首をはねて殺してしまう。そして、**見せしめに僧の首を布に入れて吊るした**ところ、その翌日になって雨はピタリと止んだという。この残酷な出来事が、てるてる坊主の由来なのだとか。

現代の字のイメージとは違う恐怖のルーツ

「幸」という漢字の成り立ちは、とても不幸

No. 095

絵が抽象化されてやがて文字になる。漢字も同様であり、紀元前1300年頃に殷王朝で発明された**甲骨**《こうこつ》**文字**は、まだその過渡期といった感じ。ここから青銅器時代の金文、秦王朝の頃にできた古代漢字などを経て、現代の我々が使う漢字へと進化してゆく。その過程で意味が違ったものになった文字も多くある。

たとえば「**手枷**《てかせ》」を意味する甲骨文字が変化してできた漢字は「**幸**」である。罪人を拘束して自由を奪う刑具である手枷からは、「幸せ」とか「幸福」なんてイメージは湧いてこない。まったく真逆で不幸な感じなのだが。いったい何故そうなったのか？

一説によれば、「手枷」を表す甲骨文字は、手枷そのものが描かれている。手枷はまだ人の腕にはめられておらず、誰も自由を束縛されていない。つまり、**手枷をはめられる危険から逃れることができた幸運**を表しているという。

また、甲骨文字の時代には残酷なものも多く、たとえば「**了**」は**両腕を切り落とされた子どもの姿**を表現したもの。この他にも、**生首がぶら下がる様**を意味する甲骨文字から「**真**」、**生き埋めにされた人が泣き叫ぶ様**からは「**号**」という文字ができたという。それを知ってから「号泣」という文字を書いてみると、なにやら恐ろしくなってくる。

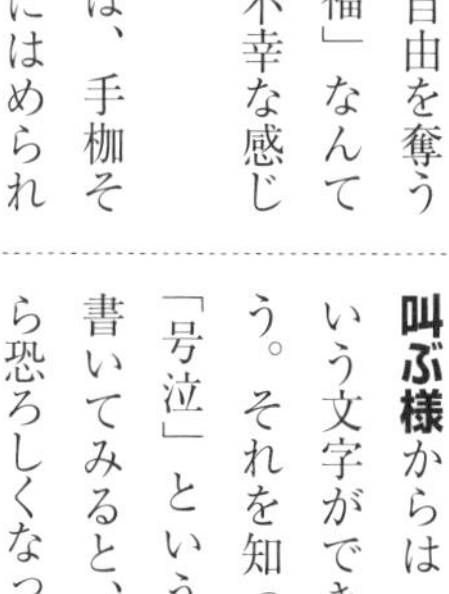

漢字の元になった甲骨文字

No. 096

古代エジプトには聖水を自販で配る機械が存在

紀元前3世紀には、自販機があった

現在は街中でよく目にする自動販売機の起源をたどってみると、17世紀のイギリスで発明されたタバコ販売の自販機が、現存する最古のものだとされている。日本でも**明治後期に郵便切手の自販機が発明**されているが、まだ珍しい存在だった。町中に自販機があふれるようになったのは昭和40年代になってからのことである。

しかし、歴史を紐解いてみると**紀元前3世紀にはすでに自動販売機は存在**していた。古代エジプト最後の王朝の首都だったアレクサンドリアは、〝地中海の真珠〟と異名される国際貿易都市として発展していた。世界の各地から貿易船で寄港した人々は、エジプトの進んだ文明に驚かされる。なかでも人々の注目を集めたのが自動販売機だった。神殿の前には、硬貨を投入すると蛇口から自動的に聖水が出てくる自動販売機が設置してある。

この自販機を目にした者は、神の奇跡だと驚いた。しかし、現代人からすると原理はいたって簡単。投入したコインの重みで内部の受皿が傾き、それが元に戻るまでの間に蛇口から一定量の聖水が出てくるという仕掛け。**テコの原理を応用したもの**だ。信心深い人々が通う神殿だけに、偽のコインを投入してズルする者はいなかったようである。

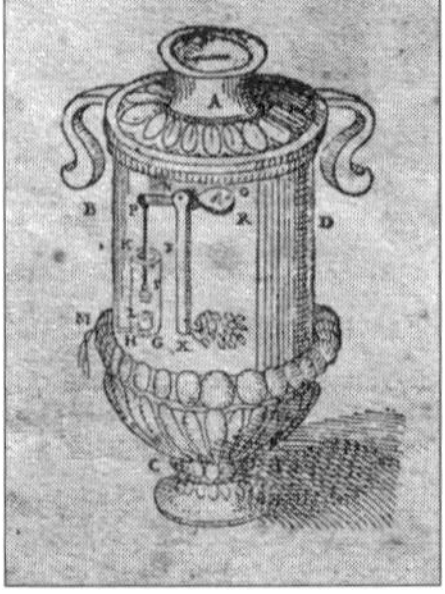

古代エジプトの聖水自販機

産業革命の1600年以上前にすでに完成

世界初の蒸気機関は、紀元前1世紀に誕生

No.097

ジェームズ・ワットが**蒸気機関の開発**に成功したのは1769年のこと。蒸気を送り込んでいる限りは、半永久的に圧倒的なパワーで動きつづける。これを工場に導入することで、手作業とは比較にならない生産量を達成でき、**ヨーロッパで産業革命を巻き起こす**ことになった。

しかし、この文明の利器が発明されたのは、産業革命が起こるよりも遥か昔のこと。**紀元前1世紀頃にはすでに蒸気機関は存在**していた。

発明者の名前は**ヘロン**。ローマ帝国の属領となっていたエジプトのアレクサンドリアに住む人物で、工学を教えながら発明に明け暮れていた。一説には聖水の自動販売機も彼の発明だったという。

そのヘロンは蒸気圧の力に着目。これを利用した様々な仕掛けを考案し、**蒸気圧で開閉する世界初の自動ドア**を完成させていた。しかし、これらをもっと様々な方面に応用しようという動きはなく、蒸気機関はすぐに忘れられた存在となってしまう。

ローマ帝国は征服地から大量の奴隷が供給され、タダ同然で労働力を得ることができる。**蒸気機関に頼る必要がなかった**のだ。

もしも古代ローマに奴隷の労働者がいなかったら、紀元前1世紀の段階で産業革命が起きていた可能性もある？

ヘロンの蒸気機関

No. 098

常に露出した状態は、かえって醜悪

古代ローマでは、包茎が美男子の条件

「包茎が恥ずかしいので銭湯に行けない」とか「包茎は女性に嫌がられるから手術したい」などと、現代日本では包茎が嫌がられる。

しかし、古代ギリシアや古代ローマ帝国の人々は、包茎を「**美しい**」と感じていたらしい。古代ギリシアやローマの彫刻を見ると、男子の裸像はみんな**包茎の粗チン**。アジア系人種に比べて中東やヨーロッパには仮性包茎が多いと言われるだけに、実際に包茎は多かったのかもしれない。

だが、当時のギリシアでは包茎は、恥ずべきことではない。むしろ、**ペニスは包皮に包まれているのが自然**で美しく、**常に亀頭が露出した状態は醜悪**とされた。

エジプトやメソポタミアでは、この頃すでに男性器の包皮の一部を切り取る割礼《かつれい》が行われていたのだが、ギリシアでは包皮を切り取って亀頭を露出させると、**そこから悪魔が入って来る**と信じる者が多かったという。そのため割礼をすると死刑に処される地域もあった。それゆえに、彫像は皮を被っていたのである。

しかし、旧約聖書には神との契約の印として割礼を受けたとあることから、キリスト教の浸透とともにヨーロッパでも**割礼への拒絶感が薄れてゆく**。近世になると包茎が病気の原因になるとして、日本と同様、嫌われるようになった。

紀元前3、2世紀頃の像

狩猟のお供からハレの日の食卓まで…

古代エジプトでは、ハイエナはペット

No.
099

古代エジプト人たちが野生の**リビアヤマネコ**を飼うようになり、それが現在世界中で飼われているネコに進化したという。当時のエジプト人たちは動物好きだったようで、他にも色々な野生動物をペットとして飼い慣らしていた。

エジプトはアフリカの地にあるだけに、近隣にはワイルドな野生動物がいっぱい。ナイル河畔に棲息する**ワニやカバ**を飼おうとして、噛まれたり踏まれたりして大惨事になったことも多々あり。

古代エジプトでは人に懐きやすいイヌ科の生物が、とくに人気があった。アフリカに棲息するイヌ科の生物といえば……そう、あの死肉を骨ごとバリバリと食らう**ハイエナ**である。紀元前2800年のファラオの墓から発掘された絵画には、**ハイエナを使って狩猟をする**模様が描かれていた。ハイエナを群れで飼い慣らして、これを猟犬のように使って大きな獲物を仕留めていたという。

ハイエナは**一般家庭**でも飼われてた。が、その目的は**食べるため**。小さなハイエナを飼い慣らし、丸々と太ってきた頃に食べるのだ。ちなみに当時は香辛料をたっぷり塗った**ハイエナの丸焼きが人気**だったというのだが、現代人の感覚だと食欲をそそるビジュアルではない。

意外に賢く、人に懐くというハイエナ

No. 100

大人はもちろん、子どもにも喫煙を推奨…

中世の欧州では、喫煙すると褒められた

コロンブスがタバコを新大陸から持ち帰り、15世紀末頃からヨーロッパでも喫煙の習慣が広まった。当時すでに「**タバコ有害論**」はあり、喫煙を快く思わない為政者も多かった。1616年にはペルシアでタバコが禁止され、違反者は**溶かした鉛を喉に注ぎ込む**残虐な刑罰が科せられた。ロシアでは拷問のうえにシベリア送り、トルコは死罪と……**タバコ吸うのも命がけの時代**。その後も、喫煙者は世間から白い目で見られていたが、**ペストの流行**によって風向きが一気に変わる。

相次ぐ禁煙令にもかかわらず、タバコを密かな楽しみとする人々は増えていた。やがて消毒や止血などに用いられるようになり、1665年にロンドンでペストが流行した時には、その予防薬として珍重された。

それまでタバコを禁じてきた政府は、子どもにまで喫煙を奨励。1800年代にヨーロッパでコレラが流行した時にも、タバコは予防薬として用いられ、学校では**タバコをいっぱい吸った生徒が教師に褒められた**。また、喫煙を義務づけて、**タバコを吸わない者に罰金を科そう**という法案も審議されたとか。

そして近年では嫌煙運動の高まりで、16世紀の禁煙時代に戻った感があるのだが……歴史は繰り返すというから、再び喫煙が奨励される時代が来るかも!?

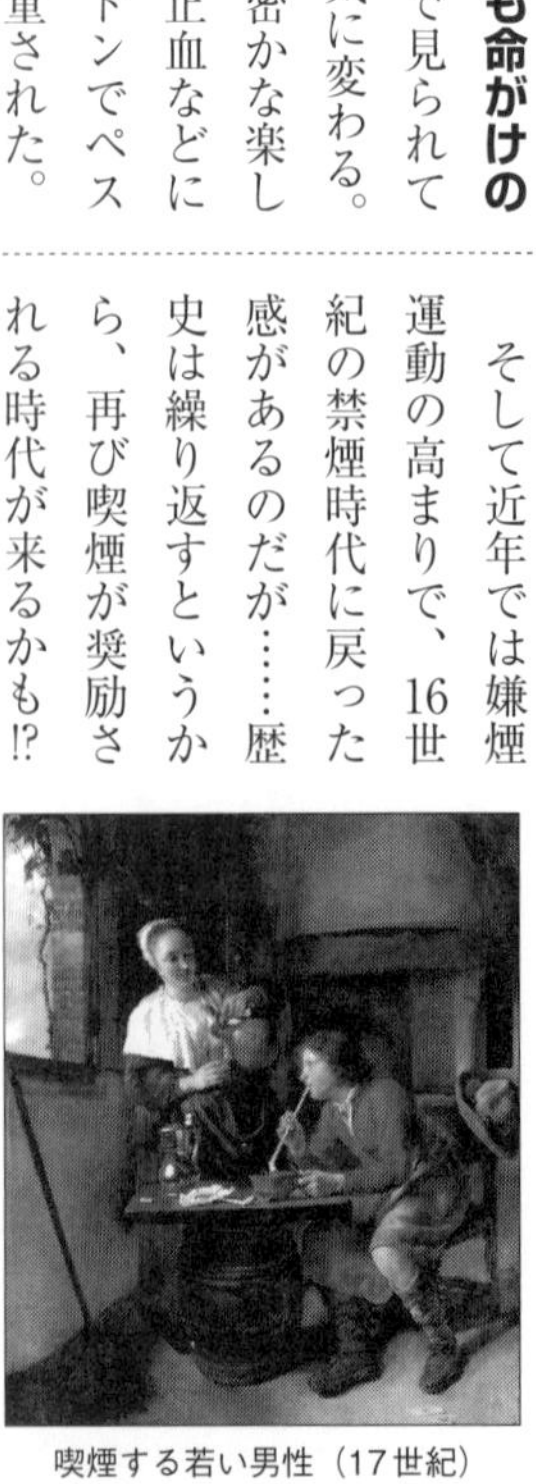

喫煙する若い男性（17世紀）

No.101

バレンタインデーの起源は、血ナマ臭い

血まみれの皮を振り回して、少女を追いかけ回す…

3世紀頃、ローマ皇帝クラウディウス2世の迫害により絞首刑に処せられた司祭**バレンタイン**は、カトリック教会で〝聖人〟として信奉されている。毎年2月14日のバレンタインデーは、この聖人に由来するもの。聖バレンタインを祝う日として5世紀頃から西ヨーロッパに定着し、14～15世紀頃には「**恋人たちの日**」と言われるようになる。これは結婚を禁じられていた若い兵士たちのために、バレンタイン司祭がこっそり結婚式を執り行っていたことに由来するようだ。

しかし、**なぜバレンタインデーが2月14日なのか**はよく分かっていない。理由については諸説あるのだが、そのなかには、なにやら血ナマ臭い話がある。

古代ローマでは毎年2月半ばに豊穣を祈願する「**ルペルカリア祭**」が催されていたが、5世紀末にローマ教皇の命で廃止される。人気のあった祭典だけに復活を望む声が多く、教会がそれに代わるものとして、聖バレンタインを祝う日に決めたというものだ。

このルペルカリア祭というのが、**とんでもないイベント**だった。素っ裸の男たちがヤギとイヌを殺しまくり、皮を剥いで少年たちに配る。少年たちは少女を見つければ相手かまわず、**血まみれの生皮で鞭打って追いかけ回す**。そこには愛の日には似合わぬ光景が繰り広げられていた。

ルペルカリア祭の様子

No.102

宗教改革で有名のマルティン・ルターが関係

ボウリングの元は、悪魔祓いの宗教儀式

開国から間もない文久元年（1861）、長崎の外国人居留地に日本初のボウリング場が開設された。ボウリングは宗教革命家の**マルティン・ルターが発案**したゲームがその原型で、当初は聖職者の間で親しまれていたものだという。悪魔に見立てた木材などを立て掛け、玉をぶつけて倒す**悪魔祓いの儀式**が各地で行われており、それを元に考えられたものと思われる。

起源をさらに遡ってみると、**古代エジプト**にまで行き着く。紀元前5200年、肥沃なナイル川の畔に人々が定住して農耕が始まった頃のことである。当時は統一された王朝はまだなく、小さな部族国家が割拠していた。邪馬台国があった日本の弥生時代と、よく似た状況だろうか。当時の墳墓を発掘したところ、現代の**ボウリングのボールとピンによく似た木製の副葬品**が出土した。これは**神事に使われた道具**だったという。ピンを災いに見立て、それをボールで倒すことができたら災いから逃れることができる、というものだ。

古代エジプトのボウリング神事は、地中海交易を通じてヨーロッパに伝わり、キリスト教が浸透すると悪魔祓いの儀式になった。そして、ルターが宗教改革のついでに、悪魔祓いの儀式にも改革をくわえ、現代の**誰もが楽しめるスポーツとしてのボウリングに進化**させたわけだ。

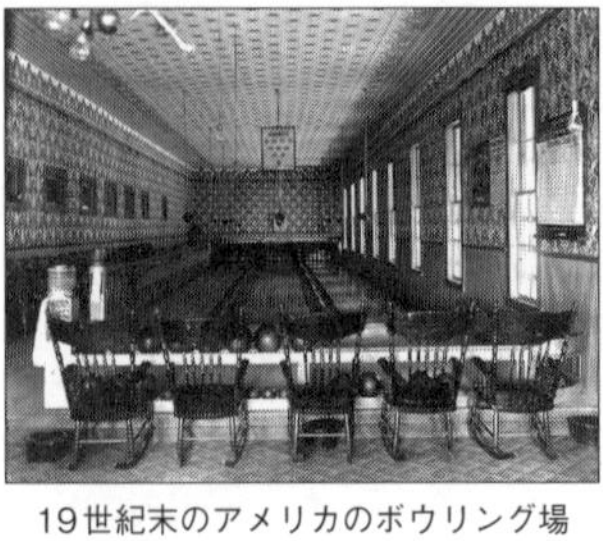

19世紀末のアメリカのボウリング場

No.103

ネコは魔女と結託した邪悪な生き物!?

中世ヨーロッパでは、ネコ好きは死刑

日本では2020年のネコの飼育頭数はイヌより多く、1000万匹に迫りつつある。欧米でもネコをペットとして飼う人は多く、日本と同様に愛される動物の筆頭格。だが、ヨーロッパにおいてネコは最初から、このような地位にいたわけではない。**むしろ嫌われていた**感が強い。

ネコは中世以前からヨーロッパ各地にかなりの数いた。しかし、ペットとして可愛がられていたわけではなく、ネズミを捕る便利な生き物として**街に住むことが許されていただけ**。大多数の人々には、飼っているという認識は希薄だったかもしれない。そして中世に魔女狩りがさかんになると、ネコは**魔女と結託した生き物**として嫌われるようになる。ヨーロッパの町では、しばしば**ネコの大量虐殺**が行われたりもしている。ネコがいなくなった町にはネズミが増える。それがペストが大流行した一因にもなったともいわれる。

当時もごく少数のネコ好きは存在した。しかし、それを公言すると**魔女の疑い**をかけられるから、町中でネコを見ても触りたい衝動を我慢しなければならない。なかには危険を冒してネコを飼う人もいたのだが……それを異端審問官に見つかり、**魔女とみなされてネコと一緒に処刑された**人も多い。ネコ好きには受難の時代だった。

15世紀のネコ狩りの様子

No.104

動物にも弁護士をつける本格的な内容

中世ヨーロッパで、ブタの裁判があった

2014年に中国江蘇省で、2歳の幼児がブタに噛み殺されて話題になった。また、2019年のロシアでは、発作を起こして倒れた女性が生きたままブタに食べられるというショッキングな事件が起きている。

ブタを食料としてきたヨーロッパでは、昔から多くのブタが飼われていた。そのぶん事故もまた多かったのだろうか？　フランスのノルマンディー地方では、**ブタが起こした殺傷事件も法で厳しく裁かれる**ようになった。記録によれば、1408年に**母ブタと6頭の子ブタ**が、子どもを襲って殺したとして訴えられた。

領主はブタたちをすぐに捕縛して牢屋に入れ、裁判を開いた。事故の目撃者が証人として集められ、ブタ側に弁護人までつけて、かなり本格的な裁判が行われたようである。その結果、**子ブタたちは証拠不十分で無罪**となったが、**母ブタは殺人罪が確定**。裁判長によって死刑が宣告され、**絞首刑が執行された**という。ブタの体重は人間の数倍、首を吊るロープや絞首台も特製の頑丈なものが使われたはず。

この他、作物を荒らした**野ネズミや虫、ロバ、牛などが裁判にかけられた**という話も残る。しかし、動物にも人間と同等に裁判を受けさせるあたり、中世ヨーロッパは動物の権利にも心を配っていたということか？

動物裁判の様子を描いた19世紀の挿絵

もともとは『地獄の門』の一部分だった

ロダンの『考える人』は、何も考えていない

No. 105

オーギュスト・ロダンは19世紀を代表する彫刻家で、その代表作である**『考える人』**は、30体以上が鋳造されて日本でも国立西洋美術館などでオリジナルを見ることができる。また、レプリカも数え切れないほどの数が存在するだけに、目にふれる機会も多いはず。

頬杖つきながら座り込む像は、その題名の通り、思索に耽り考え込んでいそうな感じではある。が、ホントのことを言うと、何も考えてはいない。この作品はダンテの『神曲』からイメージした**『地獄の門』**という大作の一部であり、もともとは複数の彫刻作品によって人々が地獄に落ちてゆく様子を描こうとしたものだったという。

『考える人』は、地獄の門を**上から見下ろして呆然としている人**を描いたものだという。つまり、何かを考えているわけではなく、**ビビッて硬直していた**のだ。

ロダンの彫刻『地獄の門』をよく見れば、その上部に『考える人』と同じポーズをとって門を見下ろす人物像がある。この人物像を大きなものに作り直し、独立した作品として発表したのである。作品の一部を使って別の作品に仕立て直すことは、芸術の世界では珍しくはない。ロダン自身はこれに**『詩人』**という題名をつけて発表したが、**鋳造技術者が『考える人』に変更してしまった**のだとか。

考える人

絵画や美術、音楽、文学などで芸術点を競う

絵画や彫刻もオリンピックの種目だった

No. 106

フランスのピエール・ド・クーベルタン男爵の提唱により、1896年にギリシア・アテネで近代オリンピックが開催された。近代オリンピックの歴史を遡ってみると、かつての競技種目は**スポーツだけに限ったものではない**。日本が初参加した1912年の第5回ストックホルム大会から、第二次世界大戦終戦後にはじめて開催された第14回ロンドン大会までは「**芸術競技**」という種目が存在していた。

芸術種目は**絵画**、**彫刻**、**文学**、**建築**、**音楽**の分野に分かれて、参加選手はそれぞれ**スポーツを題材にした作品を制作**し、それを審査員が採点して順位を競うというもの。日本は1932年の第10回ロサンゼルス大会でこの芸術競技に初参加。そして、つづく1936年の第11回ベルリン大会は、日本人芸術家の活躍が目立つ大会となった。絵画部門では日本画家の藤田隆治がアイスホッケーをテーマにした作品で銅メダルに輝き、また、日本画家の鈴木朱雀も馬術を描いて同じく銅メダルを獲っている。

芸術競技は**ロンドン大会を最後に正式競技から除外**された。芸術作品は審査員の好みが採点に大きく影響し、公平性を欠くというのが理由。最近の五輪でも、フィギュアスケートなどが同様の批判を受けることがある。

ベルリン五輪の芸術競技の審査風景

No.107

高熱を起こして梅毒の細菌を死滅させる

わざとマラリアにかかる治療法が存在

マラリアを発症すると、3〜4日おきに40度以上の激しい高熱に襲われる。現在も熱帯圏を中心に年間約2億人が感染し、40万人以上が死亡している。

しかし、20世紀初頭のオーストリアには、この**恐ろしいマラリアにわざと感染**させ、他の病気の治療に利用していた医師がいたという。**ワーグナー・ヤウレック**という医師が梅毒を患う患者を**マラリアに感染させ、高熱によって梅毒の細菌を死滅**させようという発熱療法を行ったのだ。高熱を発した後に症状の改善がみられる梅毒患者が多く、ヤウレックはここに着目した。

マラリア患者から採血した血液を、9人の梅毒患者に輸血して臨床実験は行われた。結果、6人に症状の改善が見られたことで、ヤウレックはこの後も梅毒患者の発熱治療をつづけた。

当時、マラリアには**キニーネ**という治療薬が存在していた。患者にはそのキニーネを投与して発熱をコントロールしたが、キニーネは劇薬でもある。梅毒で衰弱している患者に使うのは危険も大きく、結局、**患者の4人に1人はマラリアで死亡**したという。梅毒で死ぬかマラリア感染に賭けるか、この選択はかなり難しい。ちなみにヤウレックはこの治療法の発見により、**ノーベル賞の生理学・医学賞を受賞**している。

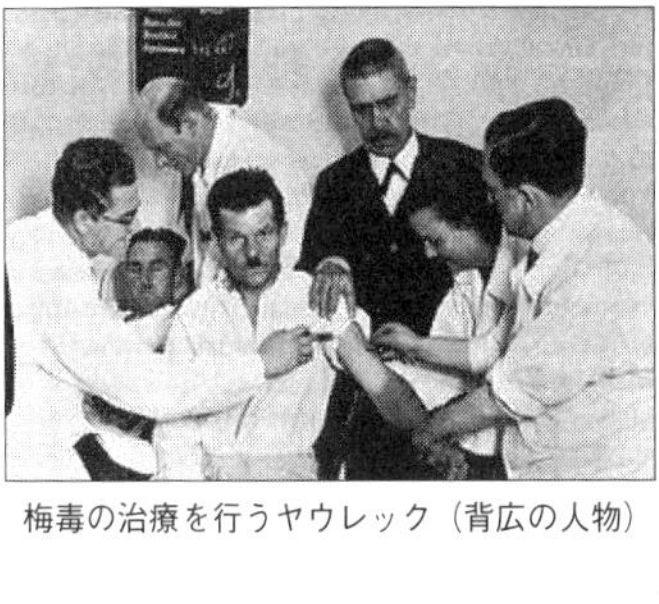

梅毒の治療を行うヤウレック（背広の人物）

No. 108

ノーベル賞の対象になったのは別の業績

「相対性理論」は、信じられていなかった

20世紀最高の物理学者といわれるアインシュタイン。その最も有名な業績が、1916年に発表した**相対性理論**だろう。その内容を説明しろと言われると……一般人には難解すぎて分からない。当時の学者たちでさえ頭をかかえたようだ。いや、学者だけに理論の理解はできる。が、従来の物理学を根底から変えてしまうような内容だけに、**信じることができなかった**。

それでも、アインシュタインは1922年に**ノーベル物理学賞を受賞**している。しかし、これは**相対性理論によって受賞したものではない**。ノーベル賞の選考委員も、相対性理論をどう評価してよいか判断できなかった。学会では最大の話題なだけに議論はされたが、「人類に大きな利益をもたらす研究かといえば疑問だ」という結論に至っている。しかし、アインシュタインの名声や業績を考えると、そろそろノーベル賞を与えないわけにはいかない。そこで、彼の数ある業績のひとつである**「光電効果の発見」**を受賞理由として、物理学賞を与えることにしたのである。

アインシュタインも相対性理論が評価されないことが不満だったようで、ノーベル賞受賞記念講演では、受賞理由の「光電効果の発見」ではなく**「相対性理論」をテーマに選んでいる**。これが相対性理論で受賞したと誤解される遠因になったと思われる。

アインシュタイン

【第五章】

「ホント!?」と驚く歴史雑学

戦争の実態 編

当時世界に存在した鉄砲の3～4割を保有

戦国時代の日本は、世界有数の軍事大国

No.109

種子島に伝来した鉄砲は、強力な新兵器として諸大名から注目された。堺や博多の商人を通して各地に普及し、戦国時代後期になると合戦の主要兵器になる。

当初はヨーロッパからの輸入に頼っていたのだが、やがて**国産品が主流**になり、**堺や近江・国友村などで鉄砲がさかんに生産**されるようになる。また、諸大名の城下にも鉄砲鍛冶が集まって町が形成された。今も日本各地の城下町に「**鉄砲町**」という町名が多いのはその名残である。

それぞれの鉄砲生産地が、独自の工夫や改良を施して性能も向上。国産鉄砲の命中精度や破壊力は**ヨーロッパ製を遥かに凌ぐ**ものになっていた。

天下分け目の関ケ原合戦では、**東西両軍あわせて2万5000挺の鉄砲が使用**された。当時、ヨーロッパの国々が保有する鉄砲をすべて掻き集めても3万挺程度というから、性能にくわえて数の上でも他国を圧倒している。**日本全体で5万挺以上**があり、これは世界の鉄砲の30～40％に相当する数。**飛び抜けた超軍事大国だった**ことは間違いない。

日本の銃は、東南アジアでも評判が良く、輸出品としてよく売れた。また、鉄砲だけではなく、日本製の刀なども人気があったという。当時の日本は**世界一の武器輸出大国**でもあった。

江戸時代の堺の鉄砲鍛冶

No. 110

戊辰戦争では、刀より銃が強かった

最後にものを言うのはやっぱり抜刀突撃！

欧米から近代兵器が入ってきた幕末期になると、もはや刀は旧時代の遺物。そう思っていたのだが、意外なことに戊辰戦争でも**最後に頼りになるのは刀**だった。雷管式の洋式銃は、火縄銃よりも装填が手早くできて威力もあった。しかし、最新の連発式はまだ数が少なく、大砲の数も充分ではない。どこかのタイミングで抜刀突撃を行い、敵陣を制圧する必要があった。

抜刀突撃を成功させるには、兵士の質が問題になってくる。刀の扱いに慣れ、死を恐れぬ胆力が求められる。しかし、幕府軍の洋式軍隊や長州藩の奇兵隊は**庶民階層出身者が多かった**。そのため**突撃命令に従わず、腰が引けて動けない者が続出**したという。一方、武士階級が大半だった薩摩藩の部隊は、命令が下ると刀を抜いて果敢に敵陣に突っ込んでゆく。鳥羽・伏見の戦いで、薩長軍は近代兵器の質量ともに、**幕府軍に見劣りしていた**。それでも薩長が勝利できた理由のひとつに、**火力の不利を補った薩摩軍による抜刀突撃の威力**があげられる。

また、明治10年（1877）の西南戦争でも、**刀は決戦兵器として威力を発揮**した。士族で編成された西郷軍の抜刀突撃が新政府軍を圧倒。政府軍は士族の警官を召集した抜刀隊を送り込み、戦略的要地の田原坂《たばるざか》を西郷軍から奪取している。

鳥羽伏見の戦い

No.111

二代目と違って初代は平穏に退役

明治時代にも『大和』『武蔵』があった

太平洋戦争開戦直前、対米戦の秘密兵器と期待する戦艦**『大和』**は竣工した。旧国名を戦艦の名とするのは日本海軍の慣わしだったが、日本の別称としても使われる〝大和〟という言葉には、特別の意味がある。46センチ砲を搭載する世界最大最強の戦艦。それを日本人の手で完成させたことを、誇りたい意識があった。

しかし、『大和』という軍艦は、**過去にも1隻存在していた**。明治20年（1887）11月に、神戸の小野浜造船所で葛城《かつらぎ》型スループ艦2番艦が竣工する。海軍が民間造船所に発注した初の軍艦だったが、その艦名に『大和』を用いたのである。この初代『大和』は、戦艦どころか巡洋艦と比較しても遥かに見劣りする小型艦艇。常備排水量は1480トンで砲艦やスループ艦といった**補助艦に分類されるサイズ**である。就役後の初代『大和』は沿岸防衛を主任務とする海防艦として運用された。日清戦争の艦隊決戦となった黄海海戦では、予備戦力の第三艦隊で参戦する。しかし、火力も防備も脆弱なだけに、**清国艦隊の衝角突撃から必死に逃げまわるだけに終始**している。

また面白いことに、この初代『大和』の姉妹艦には**『武蔵』**という艦もあった。太平洋戦争時で壮絶な最後を遂げた『大和』『武蔵』とは違って、初代の**両艦は大正時代まで測量艦として使われ、平穏のうちに退役**している。

初代・大和

No.112

日露戦争は戦死者より、病没者の方が多い

ビタミンB1の欠乏から大量の脚気患者が発生

日露戦争における日本軍の戦死者は11万5600人と、日清戦争の1万3800人の10倍以上にもなる。想定外の人的損害だったが、その死因をよく調べてみると、戦闘が原因で死亡した者は4万7000人。残る約7万人の死因は**戦闘以外、大半は病死**である。

戦地では赤痢やチフスなどの感染症が蔓延する。日本軍でもこれらの感染症は発生していたが、それよりも圧倒的に多かったのが**脚気患者**である。日露戦争では発生した戦傷病者35万2700人のうち、その6割にあたる21万1600人が脚気だった。**脚気はビタミンB1不足が引き起こす栄養障害**であり、重症化すると運動麻痺により歩くことが困難になり、やがて死亡してしまう。

江戸時代からある日本人の国民病。麦や雑穀をよく食べていた農村部には少なく、白米を食べる江戸市民に多いことから〝**江戸わずらい**〟〝**贅沢病**〟とも呼ばれた。白米が贅沢品という感覚は、明治時代の庶民にも残っている。命をかけて戦う兵士には、せめて食物くらいはいいモノを食べさせたいという温情から、白米食を支給していた。そのため、**ビタミンB1欠乏症により大量の脚気患者が発生した**のである。

一方、海軍では実験航海で検証し、脚気の原因が白米にあると考えていた。そのため兵食に麦飯を取り入れており、日露戦争中も脚気患者は34人と少なく**死亡者もゼロ**だった。陸海軍の間でこの情報が共有できていれば、戦死病者の数は少なく抑えられただろう。

No. 113

電子レンジは、日本海軍が開発

日本軍は電磁波を使った殺人兵器を研究

スマホやカーナビ、自動ドアを開閉する赤外センサなど、我々の生活を便利にしてくれた新技術の多くが、もともとは軍事技術を応用したもの。歴史を遡れば飛行機や腕時計なども、すべて**戦争目的で開発されたものだ**。人類は戦争によって進歩したという言葉が、真実味をおびてくる。

戦前、日本は技術後進国だったが、それでも現代の生活に不可欠の技術をいくつか開発している。その代表格が、どこの家庭にもある**電子レンジ**。電磁波が食品に含まれた水分を発熱させて調理するこの調理器具は、アメリカの軍需生産メーカー、レイセオン社が、昭和20年（1945）に特許を取得して製品化した。

しかし、その原理はすでに戦時下の昭和19年に日本海軍技術研究所が発見しており、**密かに兵器として利用する研究が行われていた**のである。

日本の各都市を爆撃するB‐29には、戦闘機も高射砲の砲弾も届かない。そこで日本軍は、**電磁波を照射してこれを撃墜する光線兵器**の開発に着手する。当時はこれを「**Z兵器**」「**殺人光線**」などと呼んでいた。

完成した電磁波装置でサツマイモに照射してみたところ、食べ頃のヤキイモになっていたというから、調理器具としてはほぼ完成している。

しかし、5メートルの距離でやっと殺傷効果が認められる程度では、1万メートルの高度を飛来する敵機を撃墜するのは不可能。**兵器にはとても使えない代物だった**という。

迫りくる敵機を〝竹槍〟で撃ち落とせ!

日本軍は、ハイテク竹槍も開発していた

No.
114

竹は日本各地に自生しており、加工しやすいこともあって昔から様々な用途に使われている。兵器としての歴史も古く、近代になっても日本陸軍は**竹槍を兵器として重要視**している。

昭和17年（1942）になると、兵士の大量動員に装備の生産が追いつかず、前線兵士に充分な数の小銃が行き渡らなくなった。そこで陸軍は**竹槍を制式兵器として採用**し、一部の輸送部隊の兵士に配分した。

昭和18年には、一般国民に竹槍戦術を教練するようになり、日本各地で竹槍の生産がさかんになった。

当時は「竹槍でB‐29に立ち向かう気概を持て」など精神論もよく語られたが……軍は本気で、**竹槍を使って敵機を撃墜できる**と考えていたようだ。もちろん普通の竹槍なら不可能だが、当時研究が進められていた**ハイテク竹槍**ならば、可能だったのかもしれない。

竹槍の先に爆薬を装備した「**爆槍**」なる兵器はすでに実用化され、本土決戦ではこれを使って敵軍に突撃する戦術が考案されていた。さらにこの爆槍を改良した対空兵器「**対空噴進爆槍**」もあった。これは爆槍基部に噴進薬を詰め込み、方向安定のためにブリキの羽根を装着したもの。地面に立て掛け、低空で侵入する敵機を撃墜する作戦だったが、**実戦で使われたかどうかは不明**である。

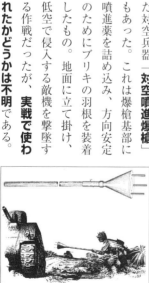

槍の先に爆弾を付けた特攻兵器も登場

No. 115

太平洋戦争でも、〝神風〟は二度吹いた

大型台風が2度もアメリカ軍の艦隊を直撃

鎌倉幕府は元帝国の朝貢要求を拒絶し、来襲してきた大軍を撃退した。2度にわたる元軍の来襲時には、**暴風雨が吹き荒れて敵船団を壊滅**させている。人々はこれを「**神風**」と呼び、日本が危機に陥れば神々が風を吹かせて敵を撃退してくれると信じるようになる。

太平洋戦争でも戦局が苦しくなってくると、日本人は神風に期待するようになる。特攻隊の隊名にもその名を付けて、もはや軍も神頼み。しかし、日本は敗れた。神風は吹かなかったのか？　いや、吹いていた。**しかも、元寇の時と同じ2度も**……。

最初の神風が吹いたのは昭和19年（1944）12月18日。レイテ沖海戦で日本海軍を撃退し、米軍はフィリピンの占領地を着々と広げていた。この日、米海軍空母部隊は沖合で給油作業中だったが、**突如進路を変更した台風に直撃される**。**空母8隻が損傷し、駆逐艦3隻が沈没**。多数の死者を出し、侵攻スケジュールが遅延した。2度目の神風は昭和20年（1945）6月5日に吹き、沖縄東南海上にあった米海軍を襲った。戦艦や空母など大型艦も甚大な被害を受け、**36隻が損傷し、一時的に攻撃能力を失う**。

だが、アメリカの国力は、かつての**モンゴル帝国よりも遥かに強力**。神風もこれを撃退することは不可能だったようである。

昭和19年の〝神風〟に翻弄される米空母

No. 116

第二次世界大戦の死者数、日本は5番目

1位は日本のおよそ6倍の戦死者数…

太平洋戦争中盤以降は、無謀な作戦計画による日本軍の兵士の損耗が目立ってくる。補給を軽視した結果、ガダルカナル島やインパールでは**大量の餓死者や病死者が発生**した。また、各地の戦線では**守備隊の全滅が相次ぐ**ようになる。その結果、**終戦までに約230万人の兵士が戦死**した。兵士の消耗率の高さに政府や軍中枢が青ざめた日露戦争でも、戦死者は11万5600人。それと比べても桁違いの数である。

しかし、上には上がある。第二次世界大戦の各国戦死者数を見れば、日本軍の戦死者が特別多いというわけではない。最も多くの戦死者を出した**ソ連軍では1360万人**、**ドイツ軍は422万人**と、日本軍の戦死者数を遥かに上回っている。中国も、日本軍と戦った中国国民党軍や中国共産党軍の戦死者をあわせると**350万人**。日本軍の戦死者数は全体で4位ということになる。

また、太平洋戦争では都市爆撃や沖縄戦などで、多くの日本人一般市民も亡くなった。その数は80万人といわれるが、地上戦が行われた国々はさらに酷かった。**中国971万人**、**ソ連は700万人**、**ドイツ267万人**など、これも桁違いの数である。**ポーランドも死亡者591万人**となっているが、これにはポーランド国内の強制収容所で死亡したユダヤ人を中心とする人々270万人がカウントされる。兵士と一般市民の犠牲者を足した総数だと、**日本よりも戦死者の数が多い国が4ヶ国もある**のだ。

【第五章】「ホント!?」と驚く歴史雑学 戦争の実態編

No.117

国民に知らされたときにはすでに敗色濃厚…

日本国民が零戦を知ったのは、終戦の直前

海軍機・零戦《ぜろせん》（零式艦上戦闘機）と陸軍機・隼《はやぶさ》（一式戦闘機）は日本を代表する名機である。隼の活躍は当時から新聞やラジオで連日のように報道され、映画や唄にもなっていた。しかし、**零戦について知る一般国民はまずいない**。海軍は秘密主義の傾向が強く、零戦という呼称さえも外部に漏らさない。対米戦の秘密兵器として期待された**戦艦『大和』『武蔵』もまた同様**、呉や長崎の建造ドッグを遮蔽物で覆い、巨大戦艦の姿が国民の目に触れぬよう細心の注意が払われた。

零戦の名がはじめて公表されたのは、昭和20年（1945）春の頃。雑誌『航空朝日』に「戦闘機零戦」として紹介されたのだが。零戦も日中戦争でデビューしてから8年が過ぎて、すっかり旧式化していた。海軍は戦意高揚のため零戦の存在を公表したのだが、すでに時機を逸している。日本本土に飛来してくる米軍の新型機に零戦は太刀打ちできず、空襲に逃げまどう人々には、零戦の不敗神話など信じられるはずもない。満を持しての雑誌発表も話題にはならず、**戦時下の日本で零戦はまったく存在感のない**まま終戦を迎えた。

また『大和』や『武蔵』についても、**終戦まで海軍はその存在を隠し通した**。終戦の翌月に発表された「終戦報告書」によって、はじめて艦名が明かされている。

海軍の零式艦上戦闘機

No. 118

日本と戦った連合国軍は別の日

終戦記念日が「8月15日」なのは日本だけ

昭和20年（1945）8月15日、日本は連合国軍から提示されたポツダム宣言を受諾することを決定。同日正午には、天皇の肉声によるラジオ放送で戦争の終結が宣言された。戦後の日本ではこの日を「**終戦記念日**」と定めて、毎年、戦没者の慰霊行事や平和集会などが催される。しかし、8月15日を「終戦」と思っているのは、**実は日本だけ**。日本と戦ったアメリカをはじめイギリス、フランス、カナダなどの連合国諸国では**「対日戦勝記念日」を9月2日としている**。

さて、9月2日には何があったのか？　この日には東京湾に停泊していたアメリカ海軍戦艦『ミズーリ』の甲板において、**降伏文書調印式が行われている**。重光《しげみつ》葵《まもる》外相ら日本側全権団と連合国軍最高司令官のマッカーサーが、**降伏文書に署名し、日本は正式に降伏したのだ**。

また、**旧ソ連や中国では9月3日を戦勝記念日としている**。9月2日には千島列島での戦闘はまだ終わっておらず、ソ連軍は北方領土の歯舞諸島の攻略作戦を実行中だった。ソ連は北方領土の実効支配を正当化するため、戦勝記念日を1日ずらしたのである。中国でもソ連に準じて「抗日戦勝利の日」を9月3日に定めている。

降伏文書にサインする重光外相

世界的な認識では日本も朝鮮戦争に参戦

太平洋戦争後、日本は戦争したことがある

No.
119

昭和21年（1946）11月3日に公布された日本国憲法の第9条第1項では、戦争を放棄し、戦力の保持と交戦権を認めないことが規定されている。最近では集団的自衛権行使が議論を呼んだ。同盟国アメリカが他国に攻撃された場合、自衛隊はこれを助けて戦うことができるのか？　ということなのだが……**実は、日本にはすでにその経験がある**。

昭和25年（1950）に始まった朝鮮戦争で、北朝鮮は電撃作戦で朝鮮半島最南部の釜山近郊に侵攻。アメリカ軍を中心とする国連軍も反撃に出る。しかし、上陸作戦を予定していた海岸付近には、**北朝鮮軍が大量の機雷を敷設**しており、作戦の障害になっていた。

そこで国連軍司令部は、日本の海上保安庁に機雷除去作業を依頼することに。海上保安庁は戦時中に米軍が日本の港湾に投下した無数の機雷を除去しており、世界トップレベルの技術と経験を持っていた。海上保安庁は「**日本特別掃海隊**」を編成し、朝鮮半島沿岸の掃海作業を開始する。掃海隊は約2ヶ月間で進撃のため水路と泊地を開き、その成果を連合国軍からも称賛された。

ちなみに、戦闘海域での掃海作業は、**諸外国の軍隊では戦闘行為と認識**されている。**掃海隊から殉職者1名が発生**していることからも危険な戦場であったことは間違いない事実だろう。

機雷に接触し、爆破する韓国船

No.120

他国が恐れた勇者揃いの〝神聖隊〟

古代ギリシア軍最強は、ゲイの精鋭部隊

2017年にアメリカのトランプ政権が「トランスジェンダーを公言している者の軍入隊を認めない」という決定をして物議を醸したことがある。LGBTに対する理解が深まった現代でも、軍隊では指揮の乱れを警戒してこれを拒絶する傾向が強いという。しかし、歴史を遡ってみると**同性愛の男性だけを集めて部隊を編成**した国がある。しかも、それが**最強部隊として、他国からは恐れられていた**。

古代ギリシアの都市国家である**テーバイ**は、スパルタを中心とするペロポネソス同盟と覇権を争っていた。紀元前371年に両軍が激突するレウクトラの戦いが勃発する。

スパルタは当時最強の陸軍国。テーバイ軍は**神聖隊**と呼ばれる精鋭軍団を組織して勝負を挑む。この神聖隊の入隊資格が「**同性愛のカップル**」ということだった。150組300人で編成された部隊は、戦場でもカップル同士がペアを組んで戦った。皆が愛する者を守ろうとして死を恐れぬ勇者になる。また、もしもカップルの1人が戦死したりすると、残った1人は**復讐の鬼となって敵陣に突撃**した。

神聖隊の怒涛の突撃で、スパルタ軍の重装歩兵による密集隊形を粉砕。テーバイに勝利をもたらした。非情のスパルタ教育で鍛えられた最強軍団も、**愛の力には勝てなかった**ということか。

この後、ギリシア各地で同性愛者の部隊が編成されるようになったという。

No.121

最強のエジプト軍は、ネコに撃破された

エジプトの裏をかくペルシア軍の奇策

約9500年前の古代エジプトでネズミの食害を防ぐために、野生のリビアヤマネコを飼い慣らして食物貯蔵庫の番をさせるようになった。これが**現代のイエネコの起源**。エジプト人たちは、大切な食料をネズミから守ってくれるネコを大切にするようになる。

やがてネコは太陽神ラーの娘であるバステトの化身となり、**神として崇められるようになった**。飼ネコが死ぬと家族全員が喪に服し、遺体は人間と同様に丁寧に防腐処理してミイラにされたという。また、エジプト王国が成立した頃には、ネコを虐待したり、殺害した者は重罪人として処刑された。紀元前1世紀頃のギリシアの歴史家ディオドロスの書によれば、エジプトを訪れたローマ人がうっかりネコを殺してしまい、怒り狂った人々に殺害されたと記録されている。

そんなエジプト人のネコ愛の強さは諸外国でも有名だったようで、紀元前525年にエジプトへ侵攻したペルシア軍は、ネコを利用してエジプト軍を撃破している。なんと、攻め寄せてくるペルシア兵が手にした**盾にはネコが縛りつけられていた**。生きたネコが準備できない兵は盾にネコの絵を描いていたのだが、それでもエジプト人には効果てきめん。「ネコを傷つけることはできない」と、**降伏してしまった**のである。国境でエジプト軍を破ったペルシア兵はそのまま国内へ乱入。人々にネコを投げつけて歓喜に沸いた。エジプト人は戦争に敗れたことよりも、**ネコが乱暴に扱われたことに憤慨した**とも伝えられる。

No.122

中世のイタリアで起きたちょっと間抜けな戦争
バケツが原因で起きた戦争がある

中世のイタリアは小さな都市国家がモザイクのように入り組んでいる状況で、国家間の紛争も絶えなかった。北イタリアにある**ボローニャとモデナ**もまた、長年の間、一触即発の緊張した状況がつづいていた。

そして1325年には、ついに些細なことから本格的に戦争を始めてしまう……戦争の理由は、実にたわいないことだった。発端はモデナ軍の兵士がボローニャ領に入り、**バケツを盗んだ**こと。それに気がついたボローニャ側が憤慨し、モデナにバケツを返すよう要求した。ここで返しておけば事態は収束したのかもしれない。しかし、モデナ側も意地になって返還を拒絶。**双方とも引くに引けない状況**に陥ってしまう。

ボローニャは3万2000人の兵士を招集して、モデナ領への侵攻を開始する。**戦略目的はバケツの奪還**。たった1個のバケツを奪い返すために、国をあげて戦争を仕掛けたのである。これに対してモデナ軍も7000人を動員し、両軍は国境付近で激突した。かなり激しい戦闘が行われ、モデナ軍は2000人近い戦死者を出した。しかし、敵の領内侵攻は阻止、**ボローニャ軍はバケツを諦めて撤退**することになった。

この木製のバケツは現在もモデナ市内のモデナ大聖堂に展示されている。その後、ボローニャから返還要請もなかったようである。

戦争の原因になったバケツ

No. 123

急増の海軍が秘密兵器で海軍国を圧倒

海軍を持たない国が勝った海戦がある

ローマ帝国は地中海に浮かぶシチリア島の領有権を争って、北アフリカの植民都市**カルタゴ**との戦争を決意した。カルタゴは海上交易で栄える国だけに、**強力な海軍力**を誇っている。また、お互い地中海を挟んで対峙しているだけに、**主戦場は海**ということになるのだが……この時、**ローマ帝国には海軍がなかった**。

そこでギリシアから軍艦を1隻輸入し、解体して建造方法を学ぶと大慌てで軍艦を建造した。が、水兵の訓練などやる余裕はなく、カルタゴとの間で**ポエニ戦争**が勃発する。紀元前262年、突貫工事で建造したローマ海軍艦隊が、カルタゴに向けて進撃開始。誰もがローマ海軍の敗北を予想したが、その予想は外れる。

ローマ海軍は この戦いのために〝**カラス装置**〟と呼ばれる鉄製の鉤爪《かぎつめ》を開発していた。これを敵船に投げて引っ掛け、ロープで引き寄せて接舷《せつげん》する。船と船を隔てる海がなければ、もはや条件は**陸の戦場と同じ**。最強のローマ兵士たちは敵船に乗り移って大暴れ、**カルタゴ艦隊を壊滅させて勝利**した。

ローマ海軍はほとんど被害のない完勝だったが、戦い以外のところで大損害を出す。海戦の後に暴風雨に巻き込まれ、軍艦の大半を沈めてしまったのだ。**操船技術の低さは致命的**。まともに海戦を挑まなかったのは正解だった。

ポエニ戦争の様子を描いた絵画

No. 124

中世のイギリスで史上最大の夫婦喧嘩が勃発

王様と王妃がガチで戦った戦争がある

夫婦喧嘩はイヌも食わないというから、見てみぬふりで巻き込まれないようにするのが一番。だが、それが**一国の王様と王妃の夫婦喧嘩**では、そういったわけにはいかない。関係のない家臣や国民たちを巻き込んで戦争に……と、なんともスケールの大きな夫婦喧嘩をやらかしたのが、プランタジネット朝イングランドの王・**エドワード2世と、その妃のイザベラ**である。

1307年に即位したエドワード2世は、**無能で素行が悪いことで評判の暗君**だった。また、同性愛者だったともいわれ、イサベラ妃との関係は冷めている。エドワード2世はイザベラを宮廷から追い出そうと画策したが、彼女はそれに耐えつづけた。ただ耐えていただけではない。密かに国内外の有力者を味方に引き入れ、自らの勢力を築く。そして、1326年にフランスから遠征軍を呼び寄せて反乱を起こした。暗君の**エドワード2世を嫌うイングランドの人々が、イザベラを支持**したこともあり、反乱軍は1ヶ月ほどでイングランドを制圧。エドワード2世は廃位され、**皇太子がエドワード3世に即位**した。

しかし、彼女の復讐はこれでは終わらない。元夫のエドワード2世を獄舎に監禁。**肛門に焼け火箸を差し込む残忍な拷問**が繰り返され、翌年には絶命したと伝えられる。

エドワード2世（左）とイザベラ妃（右）

No.125

戦争期間は世界記録も戦死者ゼロの不思議な戦い

史上最長の戦争は、335年もつづいた

強国がひしめいていたヨーロッパでは、三十年戦争や百年戦争など、戦いが長期化することが多々ある。なかでも最長記録は、**イギリスとオランダの間で335年もつづいた戦争**だろう。

イギリスで王党派と議会派による内乱が起き、議会派に味方したオランダは、1651年4月に王党派に宣戦布告。これで戦争状態に突入し、オランダ軍は王党派が支配するイギリス南部シリー諸島への侵攻を準備した。しかし、その直前に王党派が議会派に降参したことでオランダ軍は出兵を中止し、**一滴の血を流すことなく戦争は終結**した……と、思っていたのだが、**戦争はまだ終わっていなかった**のである。

1986年に戦史研究家が当時の戦いについて調べたところ、ある事実に気がついた。オランダは宣戦布告したものの、**戦争終結宣言**をしてない。イギリスも戦闘が起こらなかったため、その事実を忘れていた。戦史研究家の指摘を受けて両国はすぐに戦争の終結宣言を行ったが、長らく忘れて戦争状態を放置していた結果、**世界史上最長となる335年間の戦争**が行われたことになる。

戦争期間の長さもさることながら、この戦争ではもうひとつ珍記録が生まれている。第一次世界大戦や第二次世界大戦を遥かに凌ぐ長期戦ながら、**戦死傷者はゼロ**だった。もっとも戦闘が起こり1人でも戦死していれば、誰かが気がついてもっと早く終戦になっていただろうけど。

強大なイギリス軍を新兵器で二度も撃退…

初のロケット兵器の開発は、18世紀のインド

No. 126

第二次世界大戦後、ロケット兵器は大砲に代わる新時代の兵器として開発が急速に進められた。自律誘導ができるロケット兵器は〝**ミサイル**〟と呼ばれるようになり、核兵器搭載の大陸間弾道弾や、精密なピンポイント攻撃が可能な戦術ミサイルなど、様々なタイプが開発されている。

ロケット兵器は**現代の戦争を象徴するような存在**だが、その歴史は思った以上に古かった。

ロケット兵器が戦場で使われるようになったのは、一般的には第一次世界大戦からだといわれる。欧州の戦場で、敵の観測気球を攻撃する簡素なロケット兵器が飛行船などに搭載されたという。

しかし、調べてみると、人類はそれより遥か昔からロケット弾を戦いに使用していた。

11世紀にはすでに中国で**火箭**《かせん》と呼ばれるロケットが戦場で使用された。もっとも、その**威力は花火程度**で馬を脅すくらい。18世紀になると殺傷力のあるロケット弾が実用化される。開発国はインド南部に存在した**マイソール王国**。侵略してきたイギリス軍に対して、発射台から「**マイソール・ロケット**」と呼ばれるロケット弾を撃ちまくり、2度も撃退に成功した。これが**ロケット兵器による世界初の戦果**である。

「マイソール・ロケット」

No.127

第一次世界大戦中に18インチ砲搭載の軍艦が就役

イギリスにも大和級の巨砲軍艦があった

戦前の軍縮条約により各国の戦艦が搭載できる主砲は、**16インチ（40・64センチ）以下に制限**されていた。大西洋と太平洋の両洋で艦隊を運用するアメリカ海軍は、パナマ運河を通過するために艦幅を33メートル以内に収める必要があり、搭載できる艦砲は16インチが限界。日本海軍はそこに目をつけて、**18インチ級の新型戦艦建造**に着手した。それが**大和級戦艦**である。

第二次世界大戦中に就役した世界の戦艦のなかで、18インチ級の主砲を搭載したのは『大和』『武蔵』の2隻だけ。しかし、戦艦以外に目を向けると、大和級戦艦と同サイズの18インチ砲を搭載する軍艦があった……それが、第一次世界大戦中の1917年に、イギリス海軍が就役させた『**フューリアス**』。常備排水量は2万2600トンで、大和級戦艦の約3分の1。イギリス海軍では大型巡洋艦に分類されていた。これに18インチ単装砲2基2門を搭載していたが、無理があったようで**就役から1年後に主砲を撤去**。その後は航空母艦に改造されて艦載機の離発着実験などに使われた。

ちなみに『フューリアス』が搭載した18インチ砲の口径はメートル法だと**45・7センチ**、同じ18インチ級だが『大和』の砲口径は**46センチ**。わずか0・3センチではあるが、かろうじて**「世界最大の主砲」の栄誉は守られている**。

18インチ砲を備えたフューリアス

No. 128

艦齢200年を超える世界最古の現役軍艦

18世紀建造で、未だ現役の軍艦がある

1805年のトラファルガー海戦で、イギリス海軍は**スペインの無敵艦隊を撃破**した。この時にイギリス艦隊の指揮官・ネルソン提督が座乗した旗艦『**ヴィクトリー**』は、1778年に就役した木造帆走式の戦列艦。幕末期の日本に来航したペリー提督の黒船よりも、さらに**100年近く昔に建造された艦**である。

トラファルガー海戦の頃すでに老朽化していた。しかし、当時のイギリス海軍には大型艦艇が不足していた事情もあり、大改造工事を施して延命され旗艦として戦った。スペインに勝利した後は、イギリス海軍史に残る名艦として、ポーツマス軍港内のドッグに移して**永久保存**されることになった。長年の酷使で船体の破損が激しく、そのため修復には長い歳月を要し、**すべての工事が完了したのは2005年**のことである。

『ヴィクトリー』は記念艦として一般公開されているが、海軍からは除籍されていない。つまり、**現役の海軍艦艇**なのだ。2012年からはイギリス海軍における武官の最高位である**第一海軍卿の旗艦**になっている。艦齢200年以上、世界最古の現役軍艦である。ちなみに、2番目に古い現役軍艦は1797年に就役したアメリカ海軍の木造帆走式フリゲート『**コンスティチューション**』だが、こちらは**航行可能な軍艦としては世界最古**とされている。

イギリス海軍の「ヴィクトリー」

No. 129

ダチョウ倶楽部のギャグはこの戦争から生まれた?

「どーぞ」「どーぞ」で始まった戦争がある

バラエティ番組の定番企画・熱湯風呂で、「俺は絶対やらないぞ」と言い張る上島竜兵に対して、「お前やらないの、じゃ、俺が」と他の2人が手を挙げる。と、上島が「いや、ここは俺が」とつられて手を挙げたところで「**どーぞ、どーぞ**」……。もはやお約束になったダチョウ倶楽部のギャグなのだが、**命のやり取りをする戦場**で、これと同じギャグを披露した軍隊がいた。

それは1745年のことだった。神聖ローマ帝国の皇位継承権問題に端を発し、フランス軍とイギリス・オーストリア・オランダ連合軍との間で戦争が勃発する。5月11日には、フランス北部で両軍が激突する**フォントノワの戦い**と呼ばれる戦闘が行われた。

戦場に先着したイギリス軍の部隊の指揮官は、フランス軍に対して「**君たちから撃ちたまえ**」と促す。しかし、フランス軍もまた「**いやいや、まずそちらから撃ちたまえ**」と、どちらの指揮官も紳士を気取って発砲しようとはしない。戦闘では先手を取ったほうが俄然優位なのだが、ダチョウ倶楽部のギャグそのままに「**どーぞ、どーぞ**」とが譲りあったのである。すると、焦《じ》れた後続部隊が我先に発砲を開始、いつの間にか戦闘が始まった。先を譲りあった両指揮官の部隊は「**聞いてないよ〜**」といった感じだろうか。

戦いはフランス軍の勝利に終わった

No. 130

100年以上も破られていない世界記録

世界最短の戦争は、わずか38分で終結

世界最短時間の戦争としてギネスブックにも載っている**イギリス・ザンジバル戦争**は、1896年8月27日に起きた。終戦までの時間には**「38分」「40分」「45分」**の3つの説があるが、いずれにしても**100年以上が過ぎた現在も破られていない**偉大な記録である。

ザンジバルはアフリカ東岸のインド洋に浮かぶ小さな島で、この頃はイギリスの保護国になっていた。島を統治する王は条約によってイギリス領事が任命することになっていた。しかし、王位継承の対立候補だった前王の甥ハリドはこれに納得せず、イギリスが任命した王を殺害してクーデターを起こす。ハリドは自らを王と宣言し、**ザンジバルの全権を掌握**した。

これをイギリスが許すはずもなく、駐留艦隊を即座に動かして王宮を包囲。ハリド一派に王宮を退去するよう最後通牒を送ったが、期限の8月27日午前9時になっても退去しなかったため、**9時2分にイギリス艦隊は一斉砲撃を開始**した。圧倒的な火力の差にザンジバル軍は手も足も出ず、王宮は火の海に。**9時40分には白旗をあげて降伏**した。白旗が上がった時間については9時45分という説もあり、また、開戦を最後通牒期限とするか英艦隊の砲撃開始時刻とするかも意見が分かれるところ。そのため開戦から終戦までの時間に諸説存在している。

イギリス軍の砲撃を受けた王宮

No.131

第二次世界大戦の2倍以上の死者数を記録

アメリカの戦死者、最多は南北戦争

第二次世界大戦では、一般市民を含めて世界全体で約5000万人の戦死者が発生している。ソ連では約2000万人、中国でも約1300万人、本土決戦が回避された日本でも230万人が死んだ。

これらと比べると**アメリカの犠牲者数は29万人**と遥かに少ない。圧倒的な火力で敵陣地を徹底破壊してから歩兵を進撃させる戦術が、兵士の犠牲を少なくする。ずば抜けた生産力や補給能力を誇る**超大国アメリカだから可能な作戦**だ。

しかし、そんなアメリカも、この勝利の方程式を確立する以前には、戦争で大量の血を流していた。

1861年から1865年までの4年間、アメリカは国民同士で殺し合う**南北戦争**を経験している。

この時、南北両軍あわせた戦死者数は**約62万人**にもなり、米史上最多の戦死者数を記録した。この戦いは米本土が戦場となった戦いでもある。民間人にも戦死者が出ており、その数は少なく見積もっても**5万人以上**になるという。

南北戦争は機関銃などの近代兵器が初めて大量に使われた戦いでもあった。当初の予想を遥かに上回る戦死者数に両軍首脳は真っ青になり、**その反省から徹底した人命重視の戦術が考案**され、その後の戦いでの犠牲者を抑えるのに役立ったようだ。

米史上最多の死者を出した南北戦争

道を間違えて、わざわざ暗殺犯の前に到着!?

第一次世界大戦の原因は、運転手のポカ

No. 132

1914年6月28日、オーストリア帝国の皇位継承者フランツ・フェルディナント大公夫妻が、訪問先のボスニア州都サラエボで、テロリストによって射殺される**サラエボ事件**が起こる。第一次世界大戦を引き起こすきっかけになった重大事件だが、この暗殺劇を状況的に考えると、**運転手の間抜けなミスがなければ、失敗していた可能性が高い。**

事件の当日、大公夫妻はオープンカーに乗ってサラエボ駅を出発。オーストリアの次期皇帝をひと目見ようと、市内の沿道には多くの人々が集まった。その群衆の中に潜んでいたテロリストが、大公の車をめがけて爆弾を投げた。しかし、**狙いが外れて後続車に命中**してしまう。車に乗っていた随員や見物人に多くの負傷者が発生したが、**大公夫妻は無傷**。危険を察知した運転手はアクセルを踏み込んで、現場を走り去る。暗殺は未遂で終わった。この時は誰もがそう思った。

テロリストたちも諦めムードで、近くのカフェで今後の方針を話合っていたところに大公を乗せた車が現れ、**テロリストたちの前で停車**した。千載一遇のチャンスとばかり**銃を乱射し、今度は暗殺に成功**。運転手が道を間違え現場近くに戻ってしまい、慌ててUターンしようとして停止した場所が、テロリストたちの前だったのである。

騒然とする暗殺直後の事件現場

No. 133

国境紛争の原因になったイヌは行方不明

野良犬が原因で、起きた戦争がある

民族や人種、宗教がモザイクのように入り組むバルカン半島は、昔から紛争が絶えなかった。20世紀初頭には「**ヨーロッパの火薬庫**」と呼ばれ、第一次世界大戦を勃発させる引き金ともなった地域である。大戦後も緊張した関係がつづく国は多く、1925年には**ギリシャとブルガリアの間で国境紛争が勃発**している。

この戦いは日本の新聞記事でも報道されている。当時の大阪朝日新聞の記事によれば、ブルガリア兵が国境警備隊のギリシア軍兵士を射殺し、これに怒ったギリシア側は部隊を総動員して反撃を開始。国境を越えてブルガリアに侵攻し、数カ所の地点を占領したところで、国際連盟が間に入って停戦が成立したとある。

遠い欧州の小国同士の紛争には関心が薄かったようで、**日本の報道はあっさりとしたもの**。記事にはギリシア軍兵士が射殺された理由は書かれていなかった。が、撃ち殺された場所はブルガリア領内である。つまり、**国境を越えてブルガリア領に侵入**したところを、警備のブルガリア兵に見つかり撃たれたのだ。

責任は国境侵犯したギリシア兵にある。このギリシア兵は**大のイヌ好き**で、駐屯地をウロついていた野良犬を飼って可愛がっていたという。ところがある日、**イヌが逃げてしまった**。これを必死に追いかけるうち、**気がつかずブルガリア領土に侵犯**して撃たれたようだ。

国境紛争の原因となった野良犬は、そのまま行方不明となっている。イヌもまさか自分の行動がここまでの騒ぎになろうとは、考えもしなかっただろう。

No. 134

ティッシュペーパーは、戦争の発明

もともとはガスマスク用のフィルター

ティッシュペーパーは、トイレットペーパーなど他の紙に比べると、水に浸しても破れにくいという特徴がある。この特徴を利用して、1924年にはアメリカで〝**使い捨てハンカチ**〟として商品化される。昭和28年（1953）には日本でも販売されるようになるが、一般に普及するのは昭和40年代頃からと、その歴史は意外に新しい。

現代の生活では欠かせぬものとなったテッシュペーパーだが、そもそもは**軍事目的で開発されたもの**だという。第一次世界大戦では枢軸国軍と連合国軍双方で新兵器・毒ガスを使った攻撃が行われた。凄まじい人的被害が発生し、その防御のために兵士には**防毒マスクが必需品**となる。

しかし、兵士の数は何十万人にもなるだけに、工場をフル稼働しても生産が追いつかない。マスクに入れるフィルターは使い捨てだから、予備を含めて大量に必要になる。当初はフィルターに脱脂綿を使っていたが、よりコストが安く、早く生産できる代用品として考案されたのが**紙製のフィルター**だった。薄いけど強くて破れない。つまり、**ティッシュペーパーの原型**である。

ちなみに〝ティッシュ〟という名称は、古いフランス語の「tissue（織られた物）」から取ったものだ。

ガスマスクのフィルターとして誕生

No. 135

全長600メートルの超巨大空母建造計画

イギリス軍は、氷山で空母を作ろうとした

2017年に就役したアメリカ海軍の最新鋭空母**『ジェラルド・R・フォード』**の満水時排水量は10万トンに達する。その巨大さには驚かされる。しかし、第二次世界大戦中のイギリスで計画された巨大空母は、それよりもさらに巨大。**200万トンにもなる途方もないスケール**だったが、英海軍はこれを本気で建造しようとしていた。

当時のイギリスは、ドイツ海軍の潜水艦による通商破壊に悩まされていた。資源供給が停滞して軍艦を建造する鉄も不足気味。そこで**氷で空母を建造**しようと考えた。1943年にはイギリス政府もこれを承認して**『ハボクック』**という計画名も決まる。カナダのルイス湖で試作船を建造して実証実験も開始された。

計画では28万個の氷塊を切り出して**全長600メートル、全幅100メートルの飛行甲板**をもつ氷山空母が建造されるはずだった。艦内には広い格納庫を確保して150機の搭載を予定していた。材料となる氷塊は天然の冷凍庫である寒冷地帯のカナダ北部で製造される。**水と木材パルプを混合**して造る氷塊は、普通の氷よりも溶けにくい。また、**冷凍機室を設置し艦全体を冷却**することにした。これで緯度の低い海域でも作戦行動が可能になる。

しかし、**計画は数ヶ月で頓挫**。カナダのパトリシア湖で完成していた全長18メートルの試作艦は廃棄されて沈められたが、現在も溶けることなく湖底に残っているという。

No. 136

実は最初の実戦の標的は東京ではなかった
B-29の初空襲は、タイのバンコク

昭和19年（1944）6月15日、中国の成都から飛来したB-29爆撃機75機が、北九州上空に現れて市街地や八幡製鐵所に爆弾を投下した。アメリカ軍が「**Superfortress（超空の要塞）**」と豪語した新兵器による日本本土初空襲である。

この後、11月にはマリアナ諸島に完成した出撃基地から、首都圏や関西圏にもB-29が飛来するようになる。東京や大阪など大都市はもちろん、地方都市までがその標的となり大量の爆弾や焼夷弾を投下。日本全土が焼け野原と化した。B-29と聞けば日本爆撃のイメージが強すぎるのだが、実は**最初に実戦で使われたのは日本爆撃ではなかった**。

日本本土初空襲が行われる10日前の昭和19年6月5日に、**タイの首都バンコク**上空に98機のB-29が来襲して爆撃を実施している。タイは日本の同盟国であり、ビルマ方面への後方支援基地として機能していた。

バンコク市内には日本軍が駐留し、大量の戦略物資が集積されている。爆撃の狙いは**日本軍の補給能力を麻痺させること**である。鉄道貨物集積所や橋梁など交通インフラを中心に甚大な被害を与えた。この後もB-29で編成された爆撃隊は、**終戦までに7回もバンコクとその周辺で大規模な爆撃を行っている**のだが、意外とその事実は知られていない。

戦略爆撃機 B-29

No.137

日本人の戦意を喪失させるための極秘作戦

米軍に富士山を赤く染める計画があった

夏から初秋にかけて、大気中に漂う水蒸気の関係で、富士山が赤く染まって見える「**赤富士**」と呼ばれる現象が起こる。葛飾北斎の『冨嶽三十六景』でもこれが描かれ、日本人にはよく知られる眺め。俳句の世界では夏を意味する季語として使われる。しかし、太平洋戦争がもう少し長引いていたら、富士山は1年中真っ赤に染まったままになる可能性があった。

太平洋戦争で日本が劣勢になると、アメリカ軍は日本の早期降伏を実現するために、様々な心理戦を行うようになる。たとえば、爆撃機から空襲予告ビラを撒くなど、あの手この手で日本人を厭戦《えんせん》気分に陥らせようとした。**CIAの前身であるOSS**（戦略情報局）がこの心理戦を担当したのだが、さすがに情報機関だけあり、日本人をよく研究している。OSSは日本人が富士山に特別な感情を持つことに着目し、富士山に異変が起これば日本人は不安になり戦意が衰えると考えた。そこで昭和20年（1945）になると、「**富士山をペンキで真っ赤に染めてしまおう**」と、軍の総司令部に持ちかけた。バカな計画だと思うのだが、**何を思ったか司令官もこれを許可**してしまう。しかし、実際に富士山を染めあげるペンキの量を計算してみると、12万トンという途方もない量になることが判明。全量を撒くには**B・29を延べ3万機出撃させる必要**がある。さすがのアメリカ軍も躊躇しているうちに終戦となったが、戦争がもう少し長引けばどうなっていたか分からない。

戦後の中華民国海軍の旗艦は、日本製

〝幸運艦〟『雪風』がたどった数奇な運命…

No. 138

駆逐艦『雪風』は、戦史ファンには〝**幸運艦**〟としてよく知られる旧日本海軍艦艇だ。同型の陽炎型駆逐艦とその改良型は38隻が建造されているが、終戦まで生き残ったのは**『雪風』が唯一**。太平洋戦争開戦時から常に最前線に投入され、ソロモン海の消耗戦やレイテ沖海戦、戦艦『大和』の沖縄水上特攻などの激戦を経験。多くの僚艦が撃沈された戦場で、**『雪風』だけはほとんど損傷を受けることがなかった**。

この艦は戦後も幸運だった。生き残った多くの艦艇は沈没処分されるなか、『雪風』は戦時賠償艦として**中華民国に引き渡された**。中華民国海軍は日中戦争で壊滅状態だったことにくわえて、共産党との内戦も始まっている。使える艦艇が喉から手がでるほど欲しかった。そのため『雪風』を**『丹陽《タンヤン》』**と改称し、第一線の戦闘艦艇として使用することに。他国に引き渡されて演習の標的になった艦艇と比べれば、これだけでもラッキー。なのだが、幸運はさらにつづく。

内戦中に中華民国海軍旗艦である軽巡洋艦『重慶』が沈没し、残存艦艇のなかでは最大の『丹陽（雪風）』が**旗艦を引き継いだ**。1960年にアイゼンハワー米大統領が台湾を訪れた時に催された観艦式でも、**旗艦『丹陽（雪風）』が全艦艇を従えて海上をパレード**している。

日本海軍時代の『雪風』

No.139

米軍は本気で「SEX爆弾」を研究していた

相手かまわず発情する恐怖の兵器

第二次世界大戦末期、劣勢の日本軍は戦局の挽回を狙って殺人光線や風船爆弾など奇想天外な珍兵器開発に熱心だった。

しかし、その傾向はどこの国の軍隊にもあるようで……通常兵器だけで無敵なはずの**アメリカ軍でも、数々の珍兵器を研究**していた。

たとえば、朝鮮戦争で艦上攻撃機として活躍したA-1スカイレーダーは「キッチン以外に運べない物はない」というのがキャッチフレーズだったが、それを実証するために便器に炸薬を詰めた「**便器爆弾**」を開発。これを北朝鮮の平壌上空で実際に投下している。

1994年にはアメリカ東部のライト・パターソン空軍基地にある研究所が、ある化学兵器の研究開発に着手した。大量の人命を奪う化学兵器の使用は国際条約で禁止されているが、人を殺さず戦闘力を奪うだけなら認められるだろう……ということで、吸い込むと相手選ばず、男だろうが女だろうが**セックスしたくて我慢できなくなる催淫剤**を開発しようとしたのである。これを敵軍上空で航空機から空中散布すれば、敵部隊内で同性愛が蔓延し、戦闘力を著しく低下させることができる、と。

半分冗談だった便器爆弾とは違って、750万ドルの研究予算を計上してかなり本気に取り組んだ。研究者は6年間を費やして研究に没頭したが、望んだ効果を得られる強力な催淫剤は完成せず。**予算を無駄に使っただけで研究は中止**されたという。

No. 140

ワールドカップ予選に負けた腹いせに対戦国を爆撃

サッカー試合が原因で、起きた戦争がある

1969年7月3日、中南米の**エルサルバドル**北西部に、隣国の**ホンジュラス**空軍の爆撃機2機が侵入。国境監視所を空爆し、迎撃のため出撃したエルサルバドル空軍機と空戦した。両国は歴史的に国境線の未確定部分をめぐる争いが絶えず、くわえて不法移民や貿易問題などの揉め事も増えていた。

しかし、戦争を始めた理由はそれとは違って、本当にばかばかしい話……**サッカーの試合が原因**だった。この年のFIFAワールドカップ予選大会で両国は1勝1敗、6月27日に開催された第3戦で雌雄を決することになる。仲の悪かった両国だけに、国民はオーバーヒート。政府もそれにつられて相手側に国交断絶を匂わせるなど、国をあげての心理戦を仕掛けた。結果、試合はエルサルバドルが勝利したが、怒り心頭のホンジュラスは**本当に国交断絶を宣言**してしまう。そしてこの日ついに**攻撃を仕掛けてしまった**のである。

両軍は敵の軍事施設や空港をさかんに爆撃し、7月15日にはエルサルバドル陸軍は1万2000名の陸軍部隊を動員して、**ホンジュラス領内への本格侵攻を開始**する。7月18日になってアメリカに本部を置く米州機構（OAS）が調停して停戦が成立したが、両軍あわせて**少なくとも2000人以上が戦死**したという。

ちなみに両国がサッカーの試合ができるまでに関係修復できたのは12年後のこと。1980年にワールドカップ予選で再び対戦したが、この年は**揃って本大会に出場**している。

No. 141

チャド内戦でTOYOTA車が大活躍…
トヨタ車が、戦車部隊を破った戦争がある

世界中どこの国へ行っても「**TOYOTA**」のロゴをつけた車が目に入る。販売台数では世界で1、2を争うトヨタ車は、めったに故障しないことで定評がある。そのため、道路事情が悪く整備施設の少ない途上国ではとくに人気が高い。また、高価な軍用車を購入するよりコスパが高い、と軍事予算の少ない小国に軍用車として購入されるケースもある。そして、実戦でもトヨタ車は戦闘車両としての真価を発揮している。

1987年にアフリカのチャドで、政府軍と反政府勢力の武力衝突が起きた。反政府側は隣国のリビアから援助された旧ソ連製戦車300両を装備している。一方、政府軍の装備は貧弱だった。満足に稼働する戦車はほとんどなく、苦肉の策で**400台のトヨタ・ハイラックスを軍用車に転用**。これにフランスから供与された対戦車砲を積んで戦車に立ち向かった。結果、悪路でも俊敏に動くハイラックスは敵戦車を翻弄、数十両を破壊して**反政府勢力の機甲師団を壊滅させてしまう**。なんと商用車が戦車に勝ってしまったのだ。

この戦争の様子は、世界中で報道された。戦場を写した映像や写真にはやたらと「TOYOTA」のロゴが入ったハイラックスやランドクルーザーがでてくる。そのため、この戦争は「**トヨタ戦争**」と呼ばれるようになった。

ナイジェリア軍の改造トヨタ車（©NigerTZai）

【第六章】

「ホント!?」と驚く歴史雑学

事件・出来事編

No. 142

元寇は、デマが原因で起きた

フビライも騙された黄金の国伝説

元（モンゴル）帝国の皇帝フビライは文永5年（1268）に使者を派遣して日本に臣従を迫った。しかし、鎌倉幕府第8代執権・北条時宗は**これを拒絶して使者を処刑**、ユーラシア大陸の大半を支配する**世界帝国に戦いを挑む**。文永11年（1274）と弘安4年（1281）の2度、渡海してきたモンゴルの大軍が博多湾に押し寄せた。だが、**鎌倉武士の活躍と神風によって元軍は退却**。これがいわゆる「**元寇**」である。

しかし、フビライは何故、2度も大軍を派遣するほど日本に執着したのか？　それは**「日本は〝黄金の国〟というデマに騙された**から。デマを流したのはベネツィア商人の**マルコ・ポーロ**である。彼の著書である『**東方見聞録**』には、日本について「黄金が豊富に産出し、国中が金にあふれている。すべてが黄金でできた宮殿がある」などと書いてある。たしかに当時は東北地方で砂金が産出し、平泉の中尊寺金色堂は金箔張りだったけど、表現が**デマに等しいほどに大袈裟すぎる**。

マルコ・ポーロはフビライにも謁見したが、この時も日本の黄金伝説について語っている。**モンゴル人は金が大好きで、ことのほか珍重**する。それだけにフビライは大きく心動かされ、日本支配を目論むようになったとされる。なんともはた迷惑な話である。

マルコ・ポーロ

No.143

美男子が突如ブサイクに変身

日本初の結婚詐欺は、鎌倉時代に発生

『**宇治拾遺物語**』が編纂されたのは、鎌倉時代前期の頃。当時の人々の生活や風俗を知る貴重な資料になっているのだが、そのなかに日本初の結婚詐欺事件について まとめた「**博打子聟入事**《ばくちのこのむこいりのこと》」というのがある。

とある村に住むブサイクな男が、金持ちの娘の家に婿入りして財産を奪おうと目論む。男にはすでに妻がいたのだが、**夫婦が共謀して娘を騙そうとした**のである。男の妻は「日本一の男前が、あなたと結婚したがっています」と告げると娘は有頂天になり、結婚を了承してしまう。当時はまだ、**夜に夫が妻の家を訪れる「通婚」**だった。薄暗い灯明の下では顔もよく見えず、ブサイクか美男か判別がつかない。

男が素顔を隠しながら通いつづけていたが、ある夜、娘と男の前に鬼が現れる。鬼は「昔から俺が目をつけていた娘を奪った」と怒り、男に呪いをかけて去った。この鬼というのが男と共謀した悪友の変装だったが、娘はまったく疑わず。呪いをかけられた男の顔をよく見れば、**凄いブサイク**……もともと、そんな顔なのだが。鬼の呪いで美男がブサイクに変貌したと信じ込んだ娘は、**責任を感じて男に大金を与えた**という。

当時は、通い婚にくわえて**一夫多妻制で3人まで妻を持つことが認められていた**。結婚の概念もかなり適当で、実際、昼間に夫を見たことがないとか、夫の顔をよく知らないということもあったようだ。鎌倉時代になるとしだいに、女性が夫の家に入り一緒に暮らす夫婦が増え、こういった結婚詐欺も難しくなってゆく。

No. 144

高熱を発し、熱さに悶え苦しみ絶命する

平安時代には、日本でもマラリアが蔓延

マラリアは熱帯地方に多く生息するハマダラ蚊が媒介する感染症。発症すると40度以上の高熱がつづき、適切な治療をしないと**全身衰弱してやがては死亡**する。太平洋戦争で南方に進出した日本軍も、多くの兵士が感染して命を落とした。

しかし、しょせんは遠い熱帯の風土病。自分には関係ないと思う人は多いだろう。だが、かつては**日本にもこの恐ろしい感染症が存在**していた……。平安時代には「**瘧疾**《ぎゃくしつ》」「**瘧**《おこり》」などと呼ばれ、その症状や祈祷による治療の方法などを書いた文献もみつかっている。マラリア原虫は温帯域の蚊にも寄生することは可能で、当時の日本にはそれが多く生息していたようである。

『源氏物語』などの平安文学の中でも、登場人物がマラリアに似た症状に苦しむシーンをよく見かける。あの**平清盛の死因もまた、マラリアだった可能性が高い**という。清盛は治承5年（1181）に急な頭痛に襲われ、高熱を発して昏睡した。体は火のように熱く、比叡山から取り寄せた冷水をかけても、たちまち熱湯になった。ついには、「あつち死にぞし給ける」と、熱さに悶絶して死亡する様が『平家物語』にも描かれている。この後もマラリアは蔓延しつづけ、**明治後期になっても年間約20万人もの患者が発生**している。

平清盛炎焼病之図（月岡芳年画）

No. 145

一族郎党が土砂の生き埋めに…

地震で滅びた戦国武将がいる

日本は昔から地震の多い国。戦国時代も大きな地震は幾度か起きている。文禄5年（1596）に起きた慶長豊後大地震で、豊臣秀吉の伏見城の天守閣が倒壊したのは有名な話だが、しかし、これもまだ被害としては軽いほうだろう。天正13年（1586）には**「天正地震」**と呼ばれる、中部地方を震源地とする大地震が発生。この地震によって城もろとも城主や家臣団が生き埋めとなり、滅亡した大名もいる。

内ヶ島氏理《うちがしまうじまさ》は飛騨一国を支配する戦国大名だった。氏理の領地は豊富な鉱産資源に恵まれ、これを狙う者も多い。だが、山に囲まれた飛騨は天然の要害であり、侵攻した大名はみんな険しい地形に阻まれ撤退した。現在の大野郡白川村にあったといわれる氏理の本拠・帰雲城《かえりくもじょう》もまた険しい山の中にあり、難攻不落なことでは戦国期でも有数の城だった。

しかし、**この険しい地形が災いする**ことになる。この日はたまたま帰雲城で祝宴が催され、**主だった重臣がすべて集まり酒を飲んでいた**という。そのタイミングで突如として巨大地震が起こった。直後に山が崩れ、急峻な斜面をつたって土石流が城を襲う。城はあっという間に土砂に埋まり、氏理やその親族、家臣団は逃げることができずに死亡。**内ヶ島氏は瞬時にして滅亡してしまう**。

すべて土砂に埋まり、現在となって帰雲城の縄張りや正確な位置も不明。城郭ファンの間では**「幻の城」として語られている**。

山中に築いた堅城があっけなく落城

農民に滅ぼされた戦国大名もいる

No. 146

戦国時代の農民といえば、戦乱に巻き込まれて略奪されたり、大名の圧政に苦しんだり……と、悲惨な印象なのだが、実態は違う。兵農分離ができていない当時、**農民も武器を保有していた**。また、足軽として働いた者が多く、戦闘経験も豊富。戦国大名も負け戦の撤退戦では、**農民による落ち武者狩り**を最も恐れた。また、**戦国大名と正々堂々と戦い滅ぼした**こともある。

戦国時代前期の頃、加賀国の北半分は富樫政親が支配していた。富樫氏は室町幕府から守護に任じられた名族で、政親は21代目。一時は没落して領地を失ったが、権謀術数を駆使して失地を奪回。勢力圏を加賀一国に広げていた。政親が領地を奪回できたのは、**一向一揆勢力を味方につけた**ことが大きい。これは浄土真宗本願寺派信徒の農民たちによる武闘組織である。

領地を取り戻した政親だが、その一向一揆勢力と仲違いして戦となり、一時は加賀から追い払うことに成功する。しかし、他国から続々と信徒の農民が集まって攻め入られ、ついに**政親の高尾城は一向一揆勢力に包囲**されてしまう。山中に築かれた堅城も、死を恐れぬ農民たちの怒涛の突撃に抗えず落城。**政親や家臣らは自害して果てた**。この後、加賀国は一向一揆が支配するようになり、他国の人々からは「**百姓の持ちたる国**」と呼ばれるようになる。

一向一揆を率いた蓮如

No. 147

ルイス・フロイス一行をもてなすために実施
日本のイルミネーションは信長が最初

クリスマスが近くなると、街路樹の並木や建物が美しいイルミネーションに彩られる。この眺めもいまや冬の風物詩としてすっかり定着した感がある。

イルミネーションとは、日本語で**「電飾」**の意。夜間に建造物や風景を光でかたどる演出のことをいう。

明治33年（1900）に神戸沖で催された観艦式に参加した各軍艦が、海面を一斉にサーチライトで照らすパフォーマンスを行っている。Wikipediaによれば、それが日本初のイルミネーションとされているのだが。

しかし、歴史を遡って調べてみると、それよりも**ずっと昔の戦国時代に、イルミネーションを使ったイベントが催されていた**ことが分かった。

天正9年（1581）7月、外国人宣教師が安土城を訪れて信長に拝謁した。宣教師は安土城の壮大な規模や絢爛な装飾に驚いたが、夜になると彼をさらに驚かす事態が起こる。城下にあった宿舎の教会から城を見上げると、天守閣や石垣が無数の炎に照らされ、**城全体が光の中に浮き上がって見えた**。

「城とその周囲の寺や武家屋敷に提灯を吊るし、道には松明を持った騎馬武者を並べ、城下の家々には灯を消させよ」

という信長の命により、**宣教師一行を楽しませようという一大イベント**だった。こんな光景はヨーロッパでも目にすることはなく、ルイス・フロイスも興味をもってこの事を『日本史』に書いている。ひょっとして……イルミネーションの起源は日本にありか⁉

No. 148

秀吉は世界最強のスペインをビビらせた

朝鮮半島出兵にフィリピンのスペイン総督府は騒然

豊臣政権はなぜ朝鮮半島に侵攻したのか？　中国を征服しようとした秀吉の誇大妄想、天下統一の完了によって仕事にあぶれた武士の失業対策、また、**世界情勢が影響していた**という説もある。

当時、世界最強の大国であるスペインは、フィリピンに本拠を置いて、東アジアへの勢力拡大を狙っていた。宣教師はその尖兵である。九州地方を中心にキリスト教信者が増大し、キリシタンに改宗する大名も増えている。それを受けて秀吉は禁教令を発布。**豊臣政権とスペインは冷戦状態**にあった。

一方、布教を規制されない明国では信者が増えつづける。明国がキリスト教化されスペインに奪われれば、日本も危うい……。つまり、豊臣政権の大陸侵攻は、**スペインの侵略に対抗する自衛戦争だった**というのだ。

結果として朝鮮半島に侵攻した日本軍は、補給線を寸断されて撤退することになった。しかし、世界有数の鉄砲保有量を誇る日本軍は、**圧倒的な火力で明・朝鮮軍を圧倒**した。フィリピンにも詳しい戦況が伝えられると、スペイン総督府は「こいつら恐いわ」とビビり、秀吉に親書や贈り物をするなど、**必死で関係修復をはかっている**。豊臣政権は対スペイン外交で優位に立つようになった。

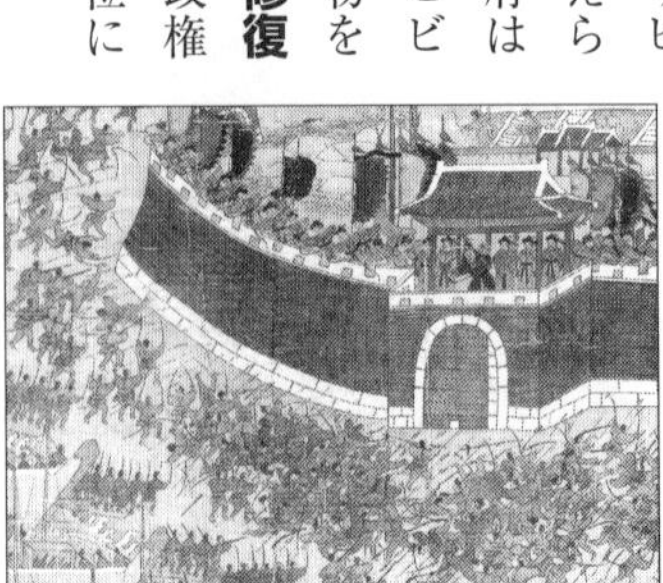
文禄の役

すべては浅野内匠頭の自業自得…

『忠臣蔵』の吉良上野介は、不幸な被害者

No. 149

『忠臣蔵』では、底意地悪い敵役として描かれている吉良上野介だが、これは**あくまで創作された物語**である。

現実の上野介は、**教養があり民政に優れた名君**として評価が高い。逆に、浅野内匠頭《あさのたくみのかみ》はキレやすい**要注意人物**。松の廊下での刃傷事件の真相は不明だが、そもそも城中で刀を抜くのは重罪である。切腹も取り潰しも自業自得。事件当初は江戸市民も「**赤穂の殿様がバカなことをやらかした**」と、呆れていたという。

バカな殿様のせいで失業した赤穂藩旧臣たちは、鬱屈した思いを上野介を討つことで晴らそうとした。つまり、**逆恨み**である。赤穂浪士が吉良邸を襲撃するという噂は流れていたが「そんなバカな理由で襲ってはこないだろう」と、上野介は信じてない。江戸市中で徒党を組んで騒ぎを起こせば、これも重罪。それだけに吉良邸は『忠臣蔵』で描かれた大勢の用心棒はおらず、油断しまくっていたようだ。そこに**鎖帷子《くさりかたびら》で完全武装した浪士が襲撃**してきたのだからたまらない。

寝込みを襲われ丸腰だった吉良の家臣は、虐殺に近い感じで皆殺しにされる。炭小屋に隠れていた上野介も捕らえられ、首を斬られてしまう。この状況はやっぱり、浪人者たちが失業の憂さ晴らしに、**罪もない老人を寄ってたかってなぶり殺した**……と、そんなふうにしか見えないのだが。

松の廊下で襲われる吉良上野介

No. 150

後の天下人が団子屋の老婆に捕まって平謝り

浜松には「徳川家康食い逃げ伝説」がある

元亀3年（1573）、武田信玄は上洛を目指して軍勢を動かし、徳川家康の領地を通過しようとした。これを阻止するため家康は浜松城外の三方ヶ原で武田軍団を迎え撃つが、まったく勝負にならずに敗走する。徳川軍は本陣も総崩れとなり、家康は単騎で必死に逃げて、なんとか浜松城に生還したのだが、**この道中で恥ずかしい失敗をやらかしている**。

街道まで出たところで、家康は武田軍の追撃をなんとか振り切った。安心すると急に腹が減ってきたので、街道沿いの茶屋に立ち寄った。小豆餅で腹を満たし、急いで馬に乗り駆け出す家康。焦っていたのだろう。金を払うのを忘れている……気がついた茶屋の老婆は、

「**食い逃げだぁ！**」

と、叫びながら後を追いかけた。家康は鬼気迫る形相に気圧《けお》され、**平謝りしながら代金を支払った**という。

茶屋のあった場所は現在の浜松市中区のあたり。逸話は地元で語り継がれ、昭和51年（1976）には、茶屋があったとされる場所は「**小豆餅**」、老婆が家康を捕まえて金を払わせた場所には「**銭取**」という地名が付けられた（現在、銭取は廃止）。

小豆餅から銭取までは約6キロ。馬に乗る家康に追いつくとは随分と健脚な老婆だが、この逸話はいわゆる〝伝説〟であり、史実ではないとの指摘もある。

ただ地元ではこのエピソードはいまでも親しまれており、浜松市内の和菓子屋では逸話にちなんだ「**小豆餅**」という菓子が販売されているという。

No. 151

幕府への忠誠心が強すぎるあまりの行動

江戸時代に自ら脱藩した殿様がいる

「忠臣は二君に仕えず」。どんなに待遇に不満があろうが、一度仕えた主君を見限るなんてことは許されない。それが江戸時代の武家社会におけるルールだった。藩士を辞めて自由な身になりたいと希望しても、そう簡単には許可されない。また、主君の許可なく脱藩するのは重罪で、切腹を命じられても文句が言えない。

それでも幕末期になると、尊皇攘夷思想に感化された若い武士たちの間で脱藩がブームになる。諸藩では脱藩者に目を光らせていたのだが、**まさか殿様が脱藩するとは、誰も思わないだろう**。そんな、まさかの事態が起きた藩がある。

上総請西藩《かずさじょうさいはん》は1万石の小藩。藩主の**林忠崇**《はやしただたか》は若いながら文武両道に優れ「将来は幕閣になれるかも」と、藩士たちもその将来に期待していた。徳川譜代の家柄だけに、忠崇は幕府への忠誠心が強い。幕府軍が鳥羽・伏見の戦いに敗れ、新政府軍が江戸に迫ってくると、請西藩は新政府に恭順することになる。忠崇も一旦は重臣たちの意見に従った。

しかし、この決定に納得できず、**最精鋭の洋式部隊を伴って藩主自ら脱藩**してしまう。箱根や伊豆で、新政府軍を相手に交戦。江戸無血開城後は、奥州に転戦して戦いつづける。仙台で新政府軍に投降し、その後は**日光東照宮の神職**になったという。

林忠崇

No. 152

武力による倒幕実現のための工作？

明治新政府の初仕事は、「公文書の偽造」

慶応3年（1867）10月14日、第15代将軍・徳川慶喜は、政権を朝廷に返上する**大政奉還**を行った。朝廷は諸侯会議を召集、ここに**明治新政府が成立**したわけだが、その主力メンバーの薩長両藩首脳や倒幕派公家たちは素直に喜べなかった。彼らは**武力で幕府を倒し、領地や財産を奪うつもり**だった。そうしなければ財源がなく、新政府は形だけの存在となってしまう。

慶喜もそれを予測して政権返上したのである。困った新政府は徳川家を頼り、新体制の指導的立場に座ることができるだろう、と。実際、諸藩の間で慶喜を新政府の閣僚に迎えようという声が大きくなっていた。

薩摩藩の大久保利通や公家の岩倉具視たちは、徳川家の新政府合流を阻止すべく、武力討幕を画策。その大義名分となる**明治天皇の勅**を求めた。岩倉が首尾よく天皇から「**倒幕の密勅**」を得て、これを受けた薩摩藩が3000名の軍勢を上洛させ、軍事行動を促すのだが……この密勅は**偽物の可能性が高い**。勅書には必ず天皇の印が押されているものだが、**それがない**。

おそらく大久保利通や岩倉具視ら新政府内の倒幕強行派の仕業だろう。しかし密勅が出たことで、これまで徳川家を擁護していた諸藩は口をつぐむ。一時は頓挫したかに見えた武力倒幕は、偽物の勅書によって再び動き始めた。

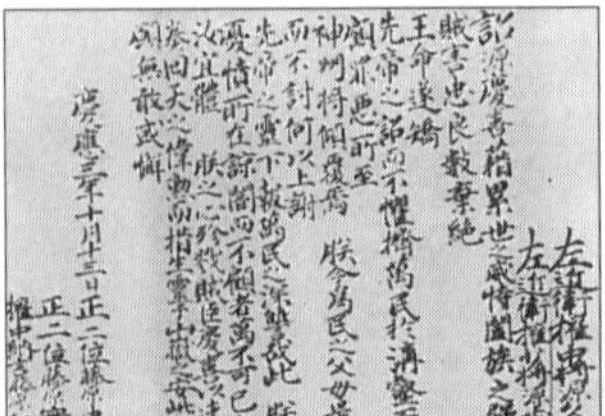
左近衛権中将源久光
左近衛権少将源茂久
詔 源慶喜藉累世之威恃闔族之強妄
賊害忠良數棄絶
王命遂矯
先帝之詔而不懼擠萬民於溝壑而不
顧罪悪所至
神州將傾覆焉 朕今為民之父母是賊
而不討何以上謝
先帝之霊下報萬民之深讎哉此朕之
憂憤所在諒闇而不顧者萬不可已也
汝宜體朕之心殄戮賊臣慶喜以速奏
回天之偉勲而措生霊于山嶽之安此朕
之願無敢或懈
慶應三年十月十三日 正二位藤原忠能
正二位藤原實愛
權中納言藤原經之

討幕の密勅。たしかに天皇の印がない

No. 153

明治政府の悲願が失われかける大ピンチ

大日本帝国憲法は、盗まれたことがある

明治22年（1889）2月11日に大日本帝国憲法が公布され、日本はアジアで初の近代憲法を有する国になった。近代国家建設をめざす政府にとって、憲法は維新以来の悲願。伊藤博文はそのためにヨーロッパに渡り、諸国の憲法を調査し、当時の日本の国情によく合う**ドイツ帝国憲法を手本に憲法を作る**ことを決める。

伊藤は日本に帰るとすぐに、ヨーロッパでの調査に随行した伊東巳代治《いとうみよじ》や、皇室典範などを整備した金子堅太郎などのブレーンと検討を重ねた。昼間は政府の仕事に奔走し、夜は横浜市内の旅館に籠って、寝る間を惜しんで作業をつづける。そして明治20年（1887）8月、ついに草案ができあがる。遊び好きの伊藤が、酒も女も断って取り組んだ苦労がやっと報われた。嬉しかったのだろう。その夜は伊東や金子と一緒に大宴会、みんな酔い潰れて寝てしまった。

翌朝、目覚めた伊藤は顔面蒼白に。**憲法草案を入れた鞄がない**。宴会で騒いでいる間に、泥棒が持ち去ったのだ。真っ青になって周辺を探すと、付近の塩田に鞄が捨ててある。**草案も無事だった**。泥棒は金目の物が入っていると思い盗ったが、あてが外れて捨てたのだろう。反省した伊藤は、セキュリティの行き届いた政府内の施設に移り、その後は**盗難にあうこともなく無事に憲法を完成させた**という。

伊藤博文

軽井沢の別荘ブーム、火付け役は日中戦争

戦時下ならではの特殊な事情で大流行

No. 154

明治21年（1888）カナダ人宣教師が旧軽井沢の一角に別荘を建設すると、日本在住の外国人が次々に別荘を建てるようになった。日本の夏の暑さや湿気に辟易していた外国人には、高原の冷涼な空気は魅力。明治時代の軽井沢は「**外国人の避暑地**」といったイメージが強かった。

昭和初期頃になると軽井沢にも日本人所有の別荘は少しずつ増えていたが、それでも華族や文化人などごく一部。一般の日本人にはまだ縁遠い場所だった。しかし、昭和12年（1937）に日中戦争が始まると、その状況が大きく変わってくる。軽井沢の各地で、**日本人向けの大規模な別荘開発**が行われるようになった。

当時は「欲しがりません勝つまでは」といったスローガンを掲げて、贅沢を戒める風潮が強くなった頃。そんな時期になぜ別荘？　いや、**そんな時期だからブームになった**のだ。

物資統制の一環で住宅建築に規制が設けられ、一般家屋の場合30坪以上の新築や増築は許可制となった。しかし**別荘は規制の対象外**。そのため**別荘地に大きな屋敷を建て、長期滞在する富裕層が激増**したのだ。当時の地元紙にも「新築の別荘150戸、時局をよそに膨らむ軽井沢」と、新築別荘に予約が殺到している状況が紹介されている。

戦前の軽井沢

No. 155

海軍将校たちが世界的スターの抹殺を計画!?

チャップリンは日本で暗殺されかけた

昭和4年（1929）の第1回アカデミー賞で名誉賞を受賞した世界的大スター、**チャールズ・チャップリン**。そのチャップリンが昭和7年（1932）に来日した。東京駅に到着した時には4万人の群衆が押し寄せ、新聞各紙はそれを一面で報じるなど大騒ぎに。しかし、**裏ではチャップリン暗殺計画が進行**していた。

チャップリンは客船で神戸港に到着した後、列車で東京へ移動して5月14日には帝国ホテルに宿泊した。翌日には首相官邸で歓迎会が予定されていたのだが……この日、犬養毅首相が海軍の青年将校たちに暗殺される**五・一五事件**が起きてしまう。

彼は歓迎会当日に「相撲を見に行きたい」と言って、首相官邸訪問を2日後に延期していた。それで難を逃れることができたのだ。

これは**危険を察知しての判断**だったといわれる。日本行きは危険だと、チャップリンに忠告する者は多かったという。日本軍や国粋主義者は**反戦思想の強いチャップリンの映画を危険視**していた。日本に行けば、何らかの危害を加えられるおそれはあった。敵視勢力が軍縮を進める犬養首相と一緒に殺してしまおうと考えてもおかしくはなかったのだ。歓迎会の当日に青年将校たちが首相官邸襲撃したことは、**ただの偶然とは考えられない**背景がある。

チャールズ・チャップリン

No. 156

最初に「容疑者」と呼ばれたのは、田中角栄

ロッキード事件で逮捕された際に初めて使用

容疑者とは、犯罪を疑われて捜査を受けている人物のこと。まだ犯罪者と決まったわけではないので、実名報道をする場合には、必ず「○×**容疑者**」として報道する。「容疑者」はマスコミによる造語であり、法律用語では「被疑者」と呼ぶのだが、最近では警察関係者の間でも「容疑者」と言うことが増えているという。

この容疑者という言葉がはじめて使われるようになったのは、昭和51年（1976）の**ロッキード事件で田中角栄・元首相が逮捕された時**だといわれている。

それ以前にも有名人が逮捕された時などは、罪が確定する前から実名報道がされていた。警察に逮捕されると、名前に「さん」や「氏」をつけることなく、呼び捨てされるのが慣例だった。しかし、まだ犯行が確定したわけではなく冤罪を訴える人もいるだけに、犯人扱いの呼び捨てにするというのは、人権を軽視しているのではないかという批判も一部にはあった。

田中角栄・元首相が逮捕された時にも、マスコミ各社はその名の呼び方に悩んだようである。**元首相を呼び捨てにするのはあまりに失礼**。というわけで「田中角栄容疑者」として報道することになったという。警察や検察で使われていた法律用語の「被疑者」をそのまま使っては、一般人には解りづらい。そこのところを配慮して考えだされた言葉だ。

田中角栄

レオナルド・ダ・ヴィンチの描いた有名絵画

実際の「最後の晩餐」、絵画とはだいぶ違う

No. 157

イエス・キリストが12名の弟子たちを集めて晩餐《ばんさん》を催し、弟子の1人が自分を裏切ることを予言した。レオナルド・ダ・ヴィンチはこの出来事を題材に有名な**『最後の晩餐』**を描いた。イエスの最後の食事シーンを思い描く時には、この絵のイメージになってしまうのだが……**それは大きな間違い**。

『最後の晩餐』ではイエスや弟子たちが、イスに座りテーブルを囲んで食事している。しかし、当時のエルサレムではこのような習慣はなく、**食事は床に座って食べていた**。テーブルは使わない。絵とはかなり違ったものだった。また、細部を見ると食器や食材についても、**当時はなかったものが多い**という。食器は天然石や赤土から作られていたから、形状も絵とは違っていたはずだ。

近年になってイタリアの考古学者が、最後の晩餐のメニューに関する研究発表を行っている。それによれば**メインディッシュは子羊の肉**だったとか。晩餐の席でイエスが「これは私の体である」と弟子たちに千切ってまわしたパンは、**無発酵の固いパン**で千切るにもかなり指の力が必要だったろう。イエスの血といわれるワインは、薬草や香草などを添加した現代でいう**フレーバーワイン**ではないかと考えられている。

実際とはかなり違うダ・ヴィンチの「最後の晩餐」

No.158

キリストは、十字架を自分で運んでいない

十字架の縦棒はゴルゴダの丘に固定されていた

イエス・キリストは磔刑に使われる十字架を自らの手で運び、処刑場のゴルゴタの丘に向かった。倒れそうになりながら重い十字架を背負う姿は、多くの宗教画にも描かれている。

当時、エルサレムを支配していたローマ帝国では、体制を批判する者などに対しては、磔刑による公開処刑を行っていた。十字架に手足を釘で打ち付けられ、体を支えることができずに呼吸困難となり衰弱してゆく。**即死できずに数日苦しみつづける**というのが、この処刑方法の恐ろしいところ。罪人がもがき苦しむ様を人々に眺めさせ、**ローマの支配に逆らう気を起こさせないようにした**のだ。

イエスが処刑場まで歩いた道は、現在もエルサレム旧市街に残っている。「**苦難の道（ヴィア・ドロローサ）**」と呼ばれる全長約1キロの急坂は、たしかに十字架を背負って歩くのは苦難だが……しかし、実際にイエスが担いだのは**十字架の一部**だったという。

十字架は横棒と縦棒、2本の木材で作られている。縦棒のほうが大きく重量もあるが、こちらは処刑場のゴルゴダの丘で、**すでに地面に打ち込まれて固定**してある。そのため罪人は横棒だけを担いで、処刑場まで歩かされたようだ。イエスの時も同様のやり方だったはずである。

十字架を担ぐキリスト

No. 159

吹き上げられた粉塵により世界的凶作が発生

フランス革命の原因は、浅間山の大噴火

1789年7月14日、パリの民衆がバスチーユ牢獄を襲撃して**フランス革命**が起こる。当時のフランス王朝は累積赤字をかかえて、庶民に重税を課すようになっていた。それにくわえて不作の年がつづき、食料価格が高騰。飢えが民衆の怒りに火を付けたのである。

このフランス革命の原因が、**遠く離れた東洋の島国・日本にあった**というのだ。

フランス革命が起きる6年前、日本では天明3年（1783）8月に**浅間山が大噴火**を起こしている。溶岩流や火砕流が山麓部の集落に甚大な被害を与え、さらに日本上空に漂う大量の噴煙が日光を遮断し、日照不足による不作が全国的規模に。東北地方の被害はとくに甚大で、20万人といわれる餓死者が発生する事態となった。これが江戸時代の四大飢饉のひとつに数えられる**天明の大飢饉**である。

浅間山噴火の影響は日本だけでは収まらない。大噴火の噴煙は成層圏にまで達し、世界的規模で広がる。これによって**北半球の年間平均気温は1〜2度下がった**といわれる。当然、ヨーロッパにも大きな影響があった。農作物の育成には厳しい冷夏と厳冬が数年間つづき、フランスをはじめ**各地で凶作が発生**している。浅間山噴火が、革命の機運を盛りあげるのに一役も二役も買っていたということだ。

浅間山噴火を書いた「夜分大焼之図」

No. 160

ヴェルサイユ宮殿は、不倫目的で建てた

愛人と逢いやすくするために宮殿を建造

１６６１年、フランス国王ルイ14世は**ヴェルサイユ宮殿**の建設に着手した。当時そこは王室の狩猟場であり、深く繁った森の広がる静かな場所だったという。宮殿は長い年月かけて増築され、１６８２年には、パリ市内のルーブル宮殿から正式に宮廷が移される。以後、フランス革命までの１０７年間、３代の国王が王宮として使用した。

ヴェルサイユ宮殿は、ブルボン王朝の優雅な宮廷文化を象徴する場所として、世界中の観光客を魅了している。しかし、ルイ14世が新たにヴェルサイユ宮殿を建てたのは、**不倫相手との逢瀬の場所を確保するため**だったという説がある。

ルイ14世はスペイン王フェリペ４世の娘マリー・テレーズを妃に娶《めと》っていたが、フランス名門貴族の娘であるフランソワーズという公妾がいた。王妃と公妾の関係は悪く、ルイ14世もなにかとやり辛いと感じていたのかもしれない。

ヴェルサイユ宮殿から少し離れた場所には、**グラン・トリアノン**と呼ばれる離宮が建てられた。ルイ14世はここにフランソワーズを住まわせ、足繁く通っていたという。ちなみに、フランス革命後は、**ナポレオン**がこの離宮に皇后マリア・ルイーザと一緒に住んだ時期もある。

グラン・トリアノン

No. 161

英国がナポレオンの妻の浮気をスクープ

妻の浮気を嘆くナポレオンの手紙を大々的に報道

フランス軍総司令官ポール・バラスは、愛人の**ジョゼフィーヌ**に飽きて、これを副官**ナポレオンに押しつけた**。6歳年上の子連れ女性だったが、ナポレオンは彼女にひと目惚れ。イタリア遠征中にも熱烈なラブレターを頻繁に送りつづけた。ジョゼフィーヌは現代でいう美魔女、社交界で人気があり、恋多き浮気性の女だった。ナポレオンもそれをかなり心配して、**遠征中は不安でたまらなかった**ようである。

ナポレオンの名声が高まるにつれ、やがてジョゼフィーヌもその地位と権力に惹かれるようになる。結婚を了承し、ナポレオンが皇帝になると彼女も皇后に即位した。しかし、浮気性のほうは治らない。ナポレオンが軍を率いて遠征にでかけると、すぐに他の男と浮気する。しかも、**浮気相手と一緒にパリの街を堂々と歩く**無防備ぶり。たちまち大きな噂となり、これがナポレオンの耳にも届く。それまでもジョゼフィーヌの浮気癖に悩まされていただけに、我慢の限界。**ジョゼフィーヌの浮気に悩む心情を書き綴った手紙**を兄に送り、ついに離婚を決意する。

その手紙を**交戦国であるイギリス**に入手され、**新聞で大々的に報道**されてしまう。妻の浮気に悩む情けない愚痴を書いた手紙をヨーロッパ中で読まれて、大きな恥をかかされたのだった。

ジョゼフィーヌ

No. 162

家が倒壊し、死者まで出る大惨事
18世紀のロンドンで、ビールの洪水が発生

イギリス人のビール年間消費量は1人あたり72・9リットル、**日本人の約2倍**にもなる量だ。ロンドンの街を歩けばいたるところに、パブがあり、人々がビールをガブ飲みする光景をよく目にする。そんなイギリス人が愛してやまないビールによって、**大惨事が起きたことがある。**

18世紀のロンドンも、現在と同様にパブが軒をつらねていた。パブに集まる客に毎日大量のビールを供給する醸造所も、この頃は**市街地に多く建っていた。**運送力が脆弱だった時代だけに、消費地に近い場所に醸造所があるほうが何かと都合がいい。事件が起きたモイクス醸造所も、多くの住民が住む下町のセント・ジャイルズ地区にあった。

1814年10月17日、醸造所内の倉庫に保管されていたビール樽が破裂し、その衝撃で山と積まれていた他の樽も次々に破裂してしまう。この時に流出したビールの量は**100万リットル以上**。倉庫の扉を突き破って醸造所や近隣の路地に溢れ出し、**濁流の勢いで2軒の家屋が倒壊**した。また、路地が入り組んで水はけの悪い地域だけに、近隣の家々は水（ビール）がなかなか引かず、大勢の住人が避難することになる。

この事故によって**9人が死亡**している。界隈には地下や半地下の貸室が多くあり、頭上から降り注いできたビールで**7人が溺死**。1人は倒壊した壁に挟まれ圧死。残る1人の死因は、**急性アルコール中毒**だったという。

No. 163

870万リットルのシロップが大流出
ボストンでは、シロップの大洪水が発生

第一次世界大戦が終わって間もない1919年1月15日、**ボストンのノースエンド地区で大洪水が発生**した。この地区は三方を海に囲まれてはいるが、当日は風もなく高潮が発生するような状況ではなかった。また、空はすっきり晴れており雨は降っていない。付近には大きな河川もみあたらず、洪水の要因が見当たらないのだが……いったい何故?

実は「洪水」と言いながらも、街を襲ったのは「水」ではなかった。ノースエンド地区は港に隣接していることもあり、工場や倉庫も多くある。そのなかにある大規模な糖蜜製造工場で、糖蜜を貯蔵していた巨大タンクが破裂。**870万リットルの糖蜜が一気に流れ出して街を襲った**のだ。街路の狭い場所では**濁流が8メートルの高さ**になり、まるで津波のようだったという。その威力は凄まじく、一部の建物や鉄道の橋梁などが破壊されてもいる。

粘り気のある蜜だけに、波に飲み込まれると脱出は水よりも困難。腰のあたりまで浸かると、身動きがとれず、逃げ遅れた人々が悲鳴をあげながら糖蜜の波の中に消えてゆく。**21人の死亡者が発生する大惨事**となった。建物や街路にこびりつく糖蜜を完全に除去するには数ヶ月を要し、付近には**何年も糖蜜の臭いが漂っていた**という。

ボストン糖蜜洪水の被害の様子

No.164

世界の総人口の3割が感染した史上最大のパンデミック

〝スペイン風邪〟の発生源は、アメリカ

第一次世界大戦最中の1918年の年明け早々から、主戦場のヨーロッパで**新型のインフルエンザが大流行**。各国は悲惨な状況に見舞われた。交戦国では戦時報道管制により事実の公表が控えられる中、**中立国のスペインだけが国内の感染状況を世界に発信**していた。そのため、この新型インフルエンザは「**スペイン風邪**」の名称で呼ばれるようになった。

4月になるとアジアでも感染者がでてくる。台湾巡業中の力士3人が感染して急死すると、日本社会も騒然となった。5月には横浜や東京にも多くの患者が出る第一波が襲来。さらに、大正7年（1918）と大正8年には第2波、第3波に襲われて、**2380万人が感染**。**38万8727人の死者が発生**する惨事となった。世界で見れば**当時の総人口の3割に相当する5億人以上が感染**したといわれる。

人類史上最大のパンデミックであり、スペイン風邪の名は世界中に知れ渡った。しかし、スペインは感染を最初に世界へ発信した地ではあるが、ウイルスの発生源ではない。では、いったいこのウイルスどこから来たのか？　最も有力な説としては、**アメリカ・カンザス州の陸軍基地**で発生したとされるもの。実際、この基地から多くの兵士が欧州の戦場へ送られた直後に、スペイン風邪が発生している。アメリカ軍が動いたルートに沿って感染者が発生しているだけに、その可能性は高い。とすれば、スペイン風邪というよりは「**カンザス風邪**」と呼んだほうが正しいのでは？

No. 165

「マフィア」の意味は「フランス人を皆殺し」

フランスの圧政に苦しむ住民たちの怒りが爆発

20世紀初頭の頃、アメリカのニューヨークやシカゴでは、マフィアが人々を恐怖に陥れていた。裏社会を牛耳るこの悪の一大組織が、**イタリアのシチリア島**を発祥とすることは有名だ。しかし、その組織名である「**Mafia（マフィア）**」の意味を知る人は少ない。

地中海航路の要地であるシチリア島は、13世紀頃はフランスの王族の領地となっていた。だが、その支配は過酷で、住民は重税とフランス兵の傍若無人な振舞いに苦しんでいた。そして1282年3月の復活祭の日に、ついに**住民たちの怒りが爆発**する。教会にやってきた夫婦にフランス兵の一団がからんできて、夫を殺害した。すると、その場に居合わせた民衆が激怒してフランス兵を皆殺し。さらに全島で住民が蜂起して、フランス人と見れば手当たりしだいに殺しまくった。

暴徒たちは「Morte alla Francia Italia anela（**すべてのフランス人に死を**）」という言葉を叫び、それが反乱の合言葉になってゆく。その各単語の頭文字を並べると「**mafia**」となり、これがマフィアの名の由来になったという。シチリア島では長期間つづいた外国の圧政や重税から逃れるため、農地を捨てて山賊になったり、非合法な商売に手を染める者が昔から多かった。19世紀になると彼らの多くが**アメリカに移民して、犯罪組織を作った**といわれている。

大物マフィア、アル・カポネ

危険な放射性物質を素手で触っていた

世界初の放射能流出事故は、パリで発生

No.166

核のもたらした悲劇といえば、記憶に新しいところでは、平成23年（2011）の福島原発事故がある。最も古いところでは、太平洋戦争末期に広島と長崎に投下された原子爆弾だろうか。いや、歴史を紐解いてみると、それよりも昔に核の悲劇は起きていた。

1903年、物理学者の**ピエール・キュリー**と共同研究者である妻の**マリ・キュリー**は、**高濃度のラジウムの精製**に成功し、ノーベル物理学賞を受賞した。

高濃度のラジウムは危険な放射性物質であるが、ふたりは素手でこれを扱っていた。**指先に激痛が走り、皮膚がボロボロに剥がれたり**したが、その原因がラジウムから出る放射線だとは思っていない。むしろ、ラジウムは体に良いとされていた時代である。

しかし、大量のラジウムに囲まれて暮らす夫妻の体は、放射線に蝕まれてゆく。ピエールは心身を病んだあげく**1906年に事故死**。彼の研究を継承したマリも頭痛や白内障などに悩まされ、**再生不良性貧血により1934年に亡くなった**。この他、研究所の助手も白血病で亡くなっている。

研究所は人口密集地帯のパリ市街にあったため、近隣の家々も放射能に汚染されたことが容易に想像できる。おそらく、これが**人工的に作られた放射性物質による世界初の事故**ということになるだろう。

キュリー夫妻

No.167

報道を鵜呑みにした市民が勝手に壁を破壊
ベルリンの壁は、勘違いで壊された

かつて西ベルリンと東ベルリンを分かつ長い壁は、**東西冷戦の象徴**として知られていた。西側へ亡命するため壁を越えようとした東ドイツ市民が、警備隊に銃撃されて命を落とすこともよくあった。80年代になると東側諸国では民主化の機運が高まり、1989年には分断の象徴だったベルリンの壁が、**市民の手によって壊され撤去**された。世界中の人々がテレビでその模様を眺め、冷戦の終結に歓喜したものだ。

しかし、この感動的シーンは**ベルリン市民の勘違い**から起こったものだという。この年9月には、東ドイツ市民がオーストリア経由で西側へ自由に行き来する措置がとられるようになる。そして11月になるとベルリンの壁を管理する東ドイツ当局の報道官が、今後は東西ベルリン市民がもっと行き来しやすくなる方策を考えるとコメントした。

それについて報道各社が「**東ドイツが国境を開放すると宣言しました**」と、やや大げさに発表したものだから、東西ベルリン市民は**「壁を壊してもいい」と勘違い**。重機やツルハシを手に集まり、我先に壁を壊し始めた。事態を知った東ドイツ政府中枢も驚いたが、役目を終えた壁が壊れてゆく様を黙って見守った。ベルリンの壁はこうして、**なし崩し的に破壊されていった**のである。

ドイツを分断したベルリンの壁

No.168

幻の"黒いタージ・マハル"計画があった

黒大理石を使った霊廟の建造計画

インドには多くの世界遺産があるのだが、なかでも観光客の一番人気は**タージ・マハル**。旅行サイトの「行きたい場所ランキング」の1位常連である。

タージ・マハルはムガール帝国の第5代皇帝**シャー・ジャハーン**が、最愛の王妃が亡くなった時に「私のために世界で一番キレイなお墓を作ってください」という遺言に従って建設したもの。ムガール帝国の首都だったアーグラ郊外、ヤムナー川の畔に**22年の歳月をかけて1653年に竣工**した。純白の総大理石で覆われた外観は、世界で最も美しい建造物と称賛され、イスラム建築の最高傑作という評価もある。

しかし、この最高傑作は、いまだ未完成の状態なのだ。実はシャー・ジャハーンはヤムナー川の対岸に、もうひとつ同規模の霊廟を建設する第2期工事を計画していた。外壁は**黒大理石を使う予定**。黒色と白色の霊廟が、ヤムナー川を挟んで並び建つ。みごとなコントラストを描く眺めが想像できる。

これが、シャー・ジャハーンが夢想した**完成形タージ・マハルの姿**だった。

しかし、第1期工事だけでも帝国の財政は火の車。このまま2期工事が決行されると「国が滅ぶ」と心配した皇子が**父を幽閉して廃位**に追い込み、黒いタージ・マハル建設の夢は潰えたのである。

タージ・マハル

No. 169

供給が多すぎて犬肉よりも安かった

唐代の中国には、人肉市場があった

「四つ足で食べない物は机と椅子だけ、**二本足で食べない物は両親だけ**」とは、中国の食文化を語る時によく言われることわざ。だが、まったくのジョークではなく、そこには**真実も多分に含まれている**。昔の中国では、たしかに親以外の人間を食べてしまうことはよくあった。他国でも飢餓や宗教的儀式で人肉が食べられることはあったが、中国史を調べてみると、それとは違って**人肉はたんなる食材**。牛肉や豚肉と同じ扱われ方をしているのだ。

『史記』や『三国志』にも人肉食の記述がよくみつかる。たとえば、劉備が戦いに敗れて落ち延びた時、山中に住む猟師に匿われた。この時、猟師は**自分の妻を殺してその肉を料理**し、劉備をもてなしている。また、孔子も人肉を塩漬けにした「**肉醤**《ししびしお》」という保存食が大好物だったという。この他にも、中国には古代から人肉を食材に使った料理のレシピは豊富だった。

唐代になると流通経済が発展し、都の長安には大きな市場が形成されるようになる。そこには**人肉を専門に扱う人肉市場**もあった。人肉の仕入れルートとしては、捕虜や罪人を処刑した後に体を払い下げたり、貧民が家族を売り渡すケースも多かった。当時は市街地にも**大規模な人肉加工場**があり、燻製や塩漬けなどの加工食品も製造されていたという。

また、唐代末期には反乱が相次ぎ、捕虜の人肉が大量に市場へ流れた。そのため人肉価格が20年間で数十分の1に下落。**犬肉の5分の1の価格で安売り**された。

No.170

革命の混乱の中、人肉食が復活していた!?

文化大革命では、10万人が食べられた

中国に人肉市場があったという話を紹介したが、それは古い昔の事。近代になればそんな蛮習もなくなっただろう。と、思いきや……なくなっていなかった。**第二次世界大戦後でも人肉食が行われていた**のだ。その記録がちゃんと残っている。

1966年から1976年にかけての10年間、中国全土に**文化大革命**の嵐が吹き荒れた。多くの富裕層や文化人が革命の敵として粛清され、少なく見積もって数十万人、一説では数千万人が殺された。その**死体が食べられる**ケースが多くあったという。

80年代になって広西省で大規模な調査が行われ、**殺害後に食われた302人**の実名が判明。食人が組織的に行われていたことも分かった。

たとえば、1968年に広西省武宣市内で、反革命分子として2名の男性が公開処刑により銃殺された。その後、すぐに腹を裂いて内蔵を取り出して肉を切り分けた。すると処刑を見物していた人々が群がって、**我先に内蔵や肉を持ち去っていった**という。また、とある中学校では生徒が集団で教師を暴行して殺害し、**学校内で調理して食べた**という記録が残っている。文革の時代には、バラバラに解体された死体が町のあちこちに転がっていたという。**10万人前後が食べられた**という推定もある。

当時の中国は大躍進政策の失敗で食料が不足し、**数百万人が餓死した**年もある。罪人の肉も貴重なタンパク源だったのだろう。

【第七章】

「ホント!?」と驚く歴史雑学

意外な事実 編

No. 171

文字がないのをいいことにやりたい放題？
"卑弥呼"は、かなり失礼な当て字

中国の歴史書『**三国志**』の「魏書第30巻　烏丸鮮卑《うがんせんぴ》東夷伝倭人条《とういでんわじんじょう》」には、日本について触れた記述がある。これを略して「**魏志倭人伝**」とも呼ぶが、そこには弥生時代の日本には邪馬台国という国家があり、**卑弥呼という女王がいた**ことが記されている。

当時の日本人は文字を知らず、「ヒミコ」の名前を文字にする者はいなかった。そのため「魏志倭人伝」を書いた中国人が耳で聞いた「ヒミコ」という名前に、そう読める**テキトーな漢字を当てて「卑弥呼」と記述した**のである。

当て字を使うのはしょうがないにしても、問題はなぜ「**卑**」なのか？　「卑」には「卑しい」「下品」「地位が低い」といった意味がある。これを**一国の元首に用いるのはかなり失礼**。漢字の原産国なだけに、同じ音でもっと相手をリスペクトした文字を見つけられたはずだ。しかし、歴代の中国王朝は、周辺国に対してよくこういったことをやる。文明の源である中国と、その他の未開地との差を歴然なものとするために、**他国は「野蛮」「下品」でなければならない**。そうでなければ、中国皇帝のありがたみが薄れる。

「倭人（日本人）は文字なんて知らないのだから、何をやっても大丈夫」とナメていたのだろう。

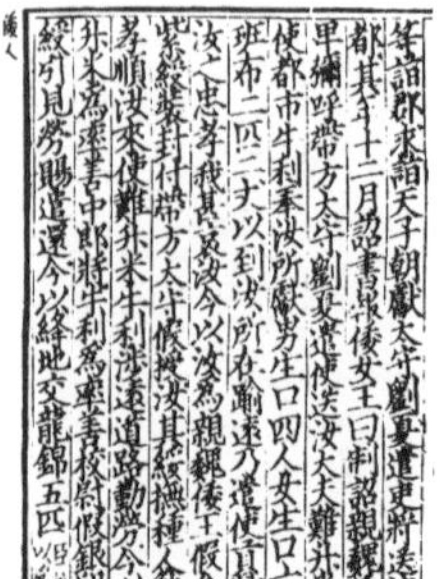
等詣郡求詣天子朝獻太守劉夏遣吏將送詣京
都其年十二月詔書報倭女王曰制詔親魏倭王
卑彌呼帶方太守劉夏遣使送汝大夫難升米次
使都市牛利奉汝所獻男生口四人女生口六人
班布二匹二丈以到汝所在踰遠乃遣使貢獻是
汝之忠孝我甚哀汝今以汝為親魏倭王假金印
紫綬裝封付帶方太守假授汝其綏撫種人勉為
孝順汝來使難升米牛利涉遠道路勤勞今以難
升米為率善中郎將牛利為率善校尉假銀印青
綬引見勞賜遣還今以絳地交龍錦五匹（臣松之以為地）

「魏志倭人伝」の原文

No. 172

『西遊記』でお馴染みの優れた高僧

"三蔵法師"は、日本にもいた

三蔵法師は日本人だった。いや、**正確には日本にも三蔵法師がいた**というべきか……。孫悟空や猪八戒を従えて、はるばる天竺まで旅した『西遊記』の三蔵法師はもちろん中国人だろう。その名は「玄奘《げんじょう》」であり、三蔵法師は称号。よく「玄奘三蔵」などと言われたりもする。

経蔵、律蔵、論蔵という3つの聖典は仏教の根幹となるもので、これを総称して**三蔵**と呼んでいた。そして、この3つの聖典すべてに精通した僧侶を「三蔵」「三蔵法師」と呼んで尊敬した。史上初の三蔵法師は、4世紀頃に亀茲《きじ》国（現在の中国・新疆《しんきょう》ウイグル自治区）出身の**鳩摩羅什**《くまらじゅう》という名の僧侶とされている。

玄奘が生きた唐王朝の頃になると、仏教に功績があったと皇帝が認めた人物にのみ、その称号が与えられた。そして日本人にも三蔵法師が現れる。延暦23年（804）に遣唐使として中国に渡った**興福寺の僧・霊仙**《りょうせん》は、長安で修行し、サンスクリット語の仏典の漢訳にも従事。その功績が認められて三蔵の称号を得る。最澄や空海など多くの高僧が中国で修行したが、**三蔵法師になれたのは霊仙が唯一**だった。ちなみに、歴代中国皇帝から三蔵法師の称号を与えられた者は150人程。時代が進むにつれて許可なく名乗る者も現れ、その数はさらに増えていったという。

玄奘三蔵

No. 173

西行法師は、〝人造人間〟を作った

人間の骨をつなぎ合わせて、秘薬を塗る…

西行法師は平安時代末期に活躍した歌人。もともとは朝廷に仕える武士だったが、失恋や親友の死で自暴自棄となり、地位や財産を捨て出家した。しかし、彼のような世捨て人にも人恋しくなる時はある。

『撰集抄《せんじゅうしょう》』という仏教説話集にこんな話がある。西行が高野山の山奥で暮らしていた時のこと。月を眺めているうち、無性に誰かと話がしたい衝動にかられた。

そこで**人造人間**を作ることにした。鬼が人骨を集めて生きた人間を作るという昔の伝承を知っており、それを試してみようとしたのである。

彼が住む草庵の近くには山寺があり、掘ればあちこちから人骨が出てくる。集めてきた骨を藤の蔓でつなぎ合わせて、頭蓋骨から足の先まで揃った完全な骨格標本を完成させる。そして、文献を調べて作った秘薬を骨格標本にまんべんなく塗り、香木を焚きながら待つこと半月。人造人間が完成した。しかし、**不細工で言葉も満足に話すことができない**。困った西行は人造人間を山奥に連れて行き、**そのまま置いて逃げてしまう**。

西行の人造人間の研究はその後もつづく。「**反魂の秘術**」なる方法を使えば、完全な人造人間が作れることを知るが、色々と煩雑な準備が必要で「なんだか面倒臭そうだな」と諦めた。

人と話がしたければ、**山を下りたほうが簡単**だ。それに気がついたのだろう。

西行法師

No. 174

“鉄砲”は、鎌倉時代に伝来していた

初めて鉄砲がもたらされたのは、種子島じゃない？

天文12年（1543）、種子島に漂着したポルトガル船が日本に鉄砲を伝えた。歴史の教科書にはそう書かれているのだが、実はそれよりも**269年前の鎌倉時代**に、日本人は鉄砲と出会っている。

文永11年（1274）にモンゴル帝国の大軍が九州に押し寄せ、鎌倉幕府軍との間で激しい戦いが繰り広げられた。その模様を描いた「**蒙古襲来絵詞**《もうこしゅうらいえことば》」には、**炸裂弾が鉄片を撒き散らして人馬を殺傷**する様が見てとれる。当時の中国ではすでに火薬の生産が行われ、兵器にも応用されていた。絵巻の炸裂弾は、追撃してくる敵を撃退する補助兵器だという。蒙古軍ではこれを「**鉄砲**」と命名した。戦場からの報告で鎌倉幕府もその存在を知り「**鉄砲＝てつはう**」と呼ぶようになる。

モンゴル軍はヨーロッパに侵攻した時にも、鉄砲で騎士たちを脅かせた。モンゴル軍の鉄砲を目にしたヨーロッパでは、以後、火砲の研究開発がさかんになり、**14世紀末のベルギーで火縄銃が発明**される。種子島に火縄銃が伝来するのは、その約100年後のことである。ヨーロッパとは違って、日本ではモンゴル軍が去るとともに、鉄砲の存在も忘れ去られていた。鎌倉武士が使う**和弓は当時世界最強の威力を誇る殺傷兵器**だった。それだけに、他国の兵器への関心は薄かったのかもしれない。

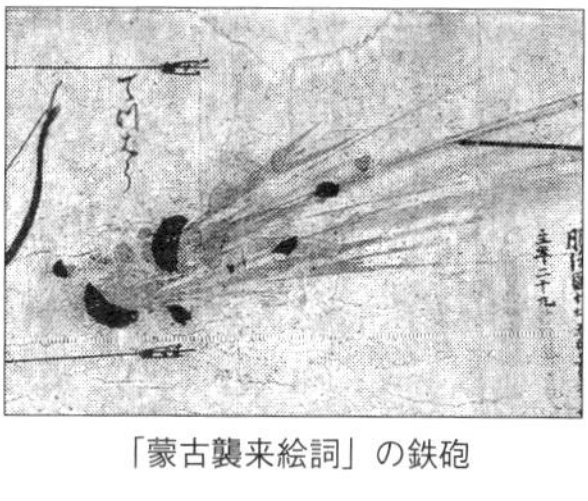

「蒙古襲来絵詞」の鉄砲

戦国武将の死因第1位は、〝梅毒〟

異性間だけでなく同性間でも蔓延

No. 175

英雄色を好むとはよく言ったもので、戦国武将にはは絶倫が多い。当時は**戦場に売春業者が出張**し、夜ともなれば遊女たちが陣中の将兵を誘った。日本軍は慰安婦の性病検査を徹底し、兵にコンドームを配布して性病感染を防いだ。しかし、当時はそんな知識も衛生品もなく**遊女からの感染リスクは高い**。また、男色も盛んな時代だけに、**男同士でも感染が広がってしまう**。

梅毒は鉄砲とほぼ同時期に日本に伝来したといわれる。ヨーロッパと交易していた中国で流行し、それが琉球を通って九州から日本各地に広がった。戦後にペニシリンを使った治療が行われる前は**不治の病**。感染が進むと体中に腫瘍ができて恐ろしい容貌となり、10年もすれば**脳や臓器を侵されて死に至る**。

有名武将にも梅毒を患っていたと思われる者は多い。たとえば秀吉の軍師として知られる黒田官兵衛は、側頭部の腫物を隠すため常に頭巾を被っていた。**梅毒が原因の腫瘍**であり、晩年に目立った奇行も菌が脳に浸透したとも考えられる。

この他にも加藤清正や浅野幸長、前田利長、結城秀康らの死因も梅毒という説もある。江戸時代になると**医師の診察を受けに来る者の7~8割は梅毒だった**というから驚く。かつての日本人は梅毒で命を落とす者がそれほど多かった。

黒田官兵衛

聖なる夜は戦いをやめよう…

戦国時代にも、クリスマス休戦があった

No. 176

第一次世界大戦勃発から約半年が経った大正3年(1914)12月24日、西部戦線の塹壕戦で対峙するイギリス軍とドイツ軍との間で、**クリスマスの2日間を停戦とする合意が成立**する。両軍がプレゼントの交換や聖歌の合唱を行い、和気藹々とした雰囲気があふれていたという。ローマ法王の呼びかけに端を発して起きた奇跡だった。

過去にも教会の主導により、イースターやクリスマスなどに「神の休戦」として停戦することがあったのだが……この**クリスマス休戦が、戦国時代の日本でも成立した事例**が見つかっている。

当時、国際貿易港の堺はキリスト教布教活動の拠点であり、町の有力商人や傭兵の武士たちにも信者は多かった。永禄9年(1566)に堺の町衆の間で対立が起こり、それぞれの勢力に与《くみ》する武士たちも武装して睨みあう緊迫した状況になっていた。

そうするうちに、キリスト教信者にとって大切な降誕祭(クリスマス)が近くなってくる。聖なる日に殺し合いはしたくない、と**両陣営のキリスト教信者の武士は密かに話し合った**。そして「異教徒たちに、我々がどれだけ仲良くしているか見せてやろう。そうすれば戦いは起こらない」と、クリスマスの夜に他の武士を引き連れてミサに参加し、一緒に料理を食べながら過ごした。すると敵対していた武士たちは打ち解けて、もはや戦う気にはなれず**和平が成立**したという。聖なる夜の奇跡は、戦国期の日本でも起きていた!?

No. 177

戦国時代にも、従軍慰安婦がいた

最前線の戦場にも平気で出張営業

2019年に韓国の文在寅《ムンジェイン》政権が、従軍慰安婦にまつわる「和解・癒やし財団」を解散させたことで、最終的かつ不可逆的に解決されたはずだった問題が再燃。「従軍慰安婦」というワードは日韓関係に深い影を落としつづけている。

従軍慰安婦とは、軍隊に帯同して将兵の性の相手をした女性たち。軍駐屯地の近くに慰安所を設置し、ここで売春行為が行われていた。日本軍だけでなく、第二次世界大戦に参戦した各国の軍隊にも同様の施設があった。従軍慰安婦の歴史は古く、さらに昔の戦争でも、慰安婦を帯同させた軍隊が存在する。

日本ではすでに**戦国時代から従軍慰安婦がいた**。合戦が始まると数千人、数万人といった男たちが長期間にわたり屋外の陣中で寝起きする。商魂たくましい者たちは危険を顧みずに戦場へ赴き、将兵が欲する生活道具や薬剤、調味料などを売って金を稼いだ。そのなかには、**春を売る遊女たちの姿もよく見かけられた**という。また、近隣の宿場町にある遊女屋が出張して、陣の付近に出店することもある。この形態は日本軍に帯同した従軍慰安婦と何ら変わらない。

遊女たちは陣中に頻繁に出入りするうち、将兵ともしだいに親しくなって、食事を作ったり洗濯をしたりと身の回りの世話をするようにもなる。男所帯の軍中では便利な存在だ。また、男たちが合戦で首を獲って戻ってくれば、**血で汚れた敵の首級《しるし》をキレイに洗って化粧をほどこす**のも、彼女たちの仕事になっていた。

No. 178

移動速度は人間が走るよりも遅かった…

武田騎馬軍団の馬は、小さなポニー

名将・武田信玄の本拠である甲斐は、日本有数の馬産地。優良な軍馬を揃えた武田の騎馬隊は「戦国最強の武田騎馬軍団」として伝説化しているが、その実像は**我々が思い描くイメージとはかけ離れていた**ようだ。

現代の我々がよく目にする馬は、外来の大型種。戦国時代の日本在来馬は、**ポニー程度の大きさしかない**。甲斐の馬は比較的大きかったとも言われているが、それに最も近いとされる木曽馬（長野県の天然記念物）の体高が約１３０センチ。体高約１７０センチのサラブレッドよりも、やはりポニーに近い体格である。重装備の騎馬武者を乗せて突撃するには、馬力不足の感は否めない。**人間が走るよりも遅かった**。

後世の軍記物で語られるような、武田騎馬軍団の突撃が本当に行われたかどうかも疑わしい。騎乗した武将が大勢の足軽歩兵を従えて部隊を編成し、その部隊が複数集まって戦国武将の軍団は編成される。騎馬武者は部隊を統率する指揮官であり、それを集中運用する発想はなかった。近代軍でいえば、**将校ばかりを集めて突撃させるようなもの**だ。

また、騎馬武者も会敵《かいてき》した時には**馬を降りて戦った**。馬はあくまで前線へと向かう移動手段。槍衾《やりぶすま》や馬防柵で守られた敵陣に騎乗したまま突撃するのは、かなりイレギュラーなことだったようである。

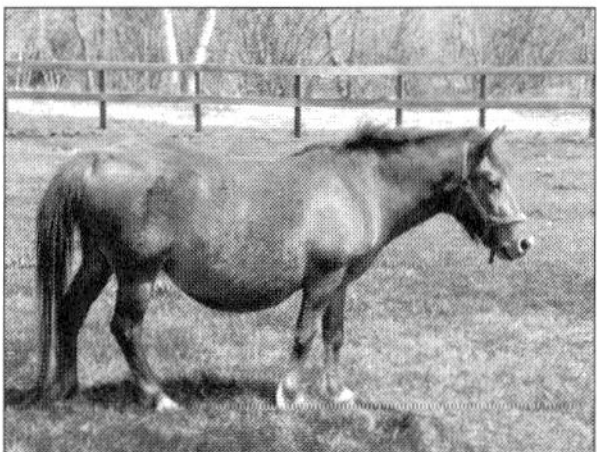

木曽馬

No. 179

信長は秀吉を「サル」と呼んだことはない

実際はもっとひどいあだ名をつけた

よく大河ドラマでは、主君の織田信長から秀吉が「**サル!**」と呼ばれるシーンが見られる。しかし、実在の信長が秀吉のことを**サルと呼んだことは一度もない**。

豊臣秀吉は天下人になってから「自分の顔はサルに似ているから嫌いだ」と、御伽衆《おとぎしゅう》に漏らしたことがある。また、外国人宣教師にも「サルみたいな顔」と陰で笑われていたというから、信長以外は「サル」のあだ名で呼ぶ者も多かったようだ。秀吉は申年生まれだけに、なおさらそのイメージが強くなってしまう。

しかし、信長は独創的なことを好む人物である。サル顔の男に「サル」なんてあだ名をつけるのは、**誰でも思いつくこと**だ。それでは面白くないと思ったのだろう。そこで、

「**はげねずみ**」

というあだ名をつけた。サルよりもさらに酷い感じがするのだが、**秀吉が大名になってからも信長はこのあだ名で呼んでいた**という。小柄で痩身な秀吉が、忙しく動きまわる姿はネズミのようでもある。また、若い頃から髪が薄かった。たしかに的を射ている……が、そんな失礼なあだ名を堂々と口にできるのは**後にも先にも信長だけ**だった。そのため信長の死後「はげねずみ」というあだ名は聞かれなくなったという。

織田信長

No. 180

秀吉が瓜売りに、信長の弟は虚無僧に大変身

桃山時代に、大名の間でコスプレが流行

漫画やアニメのキャラクターに扮したコスプレイヤー。これを近年の流行のように思っている人も多いのだが、実は江戸時代から日本人はコスプレが大好きだった。京の祇園では芸妓が歴史上の人物に扮して練り歩く催しが人気を呼んだ。また、江戸や大坂でも祭りの時などに仮装して町を歩く者が見かけられた。当時の浮世絵にも、仮装姿の男女を描いたものは多い。

日本人がコスプレの楽しさに目覚めたのは、豊臣政権が朝鮮半島に侵攻した**文禄・慶長の役の頃**。玄界灘を臨む肥前国松浦郡には、半島への前線基地となる巨大な名護屋城が築かれた。秀吉も諸将を引き連れて大坂から名護屋城に移り、将兵の士気を鼓舞するために**仮装大会のイベント**を催した。

名護屋城内に畑を作り、旅籠や商店などを建てさせて舞台は完成。そこに**瓜売りの商人に扮した秀吉**が現れて、見物する人々に商談をもちかける。虚無僧に扮した織田信長の弟・織田有楽斎《うらくさい》が、秀吉の瓜売りに「もっと旨い瓜はないのか?」と文句をつけて、ふたりの掛け合いが始まった。それを見て笑っている者たちも、**みんな思い思いのコスプレ姿**。前田利家は高野《こうや》聖《ひじり》、蒲生氏郷《がもううじさと》は茶を売る商人、そして、普段は生真面目で冗談を言わない**家康までもが、旅の行商人に扮して大きな笑いをとっていた**。

秀吉はじめその魅力にハマった大名は多かったようで、この後も度々似たような催しが行われ、コスプレは日本に定着していった。

No.181

伊賀忍者と甲賀忍者、実は仲良し

フィクションの世界ではライバル同士の関係だが…

伊賀忍者と甲賀忍者の戦い。ひと昔前の漫画やアニメにはよくある設定だったが、歴史上では組織として**両者が争ったことはない**。忍者は諜報活動や奇襲や撹乱などの特殊技術をもつ傭兵であり、地元の土豪がこれを束ねて諸大名に斡旋した。伊賀では諸大名の求めに応じて、各地に忍者を送り込むシステム。一方、甲賀は1人の大名と専属契約を結び、他家では仕事しなかったという。

大名間の争いで、雇われた忍者同士が戦うことはあるだろう。しかし、それは仕事の上でのこと。遺恨を残すことはない。**仕事が終われば、割り切ってすべてを忘れる**。様々な大名と雇用関係にあった伊賀忍者などは、仲間同士で戦うこともあるだけに、そうでもしなければ近隣の者たちが、すべて敵になってしまう。

また、**伊賀忍者と甲賀忍者が共同作戦を行う**ことも多かった。たとえば、本能寺の変直後に家康が伊賀越えで畿内を脱出した時、その警護には**伊賀忍者だけでなく、多くの甲賀忍者も参加していた**という。

江戸時代になると忍者は傭兵から、幕府が家臣として召し抱えるようになる。派遣社員から正社員になった感じか。これで**伊賀忍者も甲賀忍者も同じ会社の同僚となる**。幕府は諸大名を見張るために、大勢の諜報員を必要としていた。忍者たちは大目付や与力の配下として組織化される。また、第8代将軍・徳川吉宗の時代になると、**将軍直属の諜報組織である御庭番**が創設され、こちらでも多くの忍者が働いていた。

No. 182

源義経は生き延びて大陸に渡り、モンゴル皇帝になった!?

「義経＝チンギス・ハン」説、シーボルトが考案

源義経は藤原氏を頼って奥州平泉に亡命したが、頼朝の圧力に屈した藤原泰衡《ふじわらのやすひら》に襲撃されて非業の死を遂げた。しかし、**義経は死なず**。平泉から脱出し、北海道を経由してモンゴルに逃れたという説がある。その後、義経はチンギス・ハンを名乗り、天才的軍略で世界帝国を築く……と、信じがたい話なのだが、それを信じる人は昔から多かった。

この義経＝チンギス・ハン伝説は、いつの頃から語られるようになったのか。伝説の発祥は意外と新しく、近世になってからのことだ。

寛文10年（1670）出版の歴史書『本朝《ほんちょう》通鑑《つがん》』に「**義経は北海道に逃れて子孫を残した**」と書かれている。それが知識人の間で評判になり、義経生存説が語られるようになる。江戸時代後期に来日したシーボルトも興味を持ち、独自の解釈を加えて「**義経は北海道からモンゴルに渡り、チンギス・ハンになった**」と唱えた。その自説を著書『日本』にも書いている。

やがて幕末期になると北海道の領有化を目論むロシアを牽制するために、幕府は義経生存説を利用する。北海道に渡った**義経が先住民アイヌの祖であると喧伝**し、**北海道が日本領だという主張を展開**。また、日本軍が大陸進出を目論むようになると、義経＝チンギス・ハン説もよく語られるようになったという。

シーボルト

No. 183

ダンダラ羽織の制服はほとんど着用せず…

新選組の制服は、地味な黒服

新選組といえば、**浅葱《あさぎ》色のダンダラ羽織**のイメージが強い。袖の部分に白い山形（ダンダラ）模様を描いたデザインは、当時としてはかなり奇抜。新選組の名声が上がるにしたがって、ユニフォームのダンダラ羽織も世間に知られるようになったというが、これはあくまでも俗説。当時のことをよく調べてみると、たしかにダンダラ羽織は存在したが、**隊士たちがそれを着ることはほとんどなかった**という。

文久3年（1863）に新選組副長・土方歳三が、大丸呉服店にダンダラ羽織を注文したとされている。新選組の名を売るには、派手な出で立ちのほうがいいという判断で、この奇抜なデザインになったとか。しかし……ちょっと派手過ぎて、隊士たちは腰が引けた。発案者の土方自身も、渋いファッションを好む男なだけに、ほとんど着ることがなかった。また、新選組には不逞浪士の動向を探るという任務もあり、隠密行動をとることが多かった。そのため**目立つダンダラ羽織では仕事にならない**。多くの隊士が、ふだんは黒い羽織を着て市中を見回っていた。

池田屋事件の時も、隊士たちの大半は黒い羽織を着て激闘を繰り広げている。志士を鎮圧して屯所へ戻る時に、留守居役の隊士が急いで人数分のダンダラ羽織を持ってきて、これを着せてから街を練り歩いたというのが真相らしい。新選組のなかでは、**ダンダラ羽織はあくまで儀礼や式典の正装**。ふだんの仕事は黒い羽織といったＴＰＯが存在していたのかもしれない。

No.184

金閣寺、銀閣寺だけじゃない!?

京都には、〝銅閣寺〟もある

室町幕府最盛期の第3代将軍・足利義満の山荘跡に創建された鹿苑寺は、豪華絢爛な金箔張りの舎利殿があることから、金閣寺の別名で知られている。また、金閣寺に対抗して第8代将軍・足利義政が創建した慈照寺も、銀閣寺の別名でよく知られている。

金閣寺と銀閣寺は京都に数ある名刹古刹のなかでも、最もよく知られる観光スポットになっている。金閣寺と銀閣寺があるのなら、**銅閣寺があってもよい**のでは？　そう思って調べてみれば……**それがあった**。

その寺の正式名称は**大雲院**。本能寺の戦いで織田信長とともに討死した嫡男・信忠の菩提を弔うため、天正15年（1587）に創建された寺だという。創建時は本能寺跡に近い四条河原町付近にあり、昭和48年（1973）に東山の現在地に移転している。この移転した土地というのが、明治・大正時代の大財閥である**大倉喜八郎の別邸跡**だった。

「金閣や銀閣があるのだから、銅閣もなければおかしい。**ないなら俺が作ってやる！**」

大倉はそう言って、昭和3年（1928）年、別荘の敷地内に銅板に覆われた3階建ての望楼「**祇園閣**」を建設。戦後になって敷地内に移転してきた大雲院とともに地元では「**銅閣寺**」として親しまれているという。

京都・東山の祇園閣（銅閣寺）

No. 185

キラキラネームの元祖は、森鷗外

ドイツ愛が強すぎるゆえの命名

読み方が難読なうえに、世間の常識ともかけ離れた名前。近年ではこれを**キラキラネーム**と呼ぶようになった。キラキラネームが世間で話題になったのは90年代中頃。テレビでは「嘆かわしい」とため息をつく年配者のコメントもよく聞かれた。昔はそういった名前を付ける親はいなかったのか？　疑問に思って調べてみれば、それがいた。しかも日本が誇る一流の知識人が、キラキラネームを子どもに付けていたのだ。

その、やらかした人物というのが**森鷗外**。明治期を代表する文豪、また、陸軍軍医総監にまで出世したエリートなのだが……彼の子どもたちの名前は**長男・於菟**、**次男・不律**、**三男・類**、**長女・茉莉**、**次女・杏奴**と、漢字で書かれてもどう読んでいいのか分からない。これはそれぞれ**オットー**、**フリッツ**、**ルイ**、**マリー**、**アンネ**とまるで外国人のような読み方になる。今どきのヤンキー若夫婦の子には、ありそうな感じなのだが。まさか文豪がそれをやるか、と驚いてしまった。

鷗外は若い頃にドイツ留学して、現地女性と熱烈な恋愛もしている。帰国後もドイツ愛は醒めるどころか強くなる一方、その思いから**子どもたちの名前もドイツ風になってしまった**ようだ。外国人が発音しやすく覚えやすい名前のほうが、将来外国に行った時に困らないという親心もあったというが。

森鷗外

札幌農学校の初代教頭・クラーク博士の名言はウソ!?

「青年よ、大志を抱け」とは言っていない

No. 186

札幌農学校（現・北海道大学）の初代教頭として招かれた米国人のウィリアム・スミス・クラーク。羊ケ丘展望台に立つ彼の銅像の台座に刻まれた「**BOYS BE AMBITIOUS（青年よ、大志を抱け）**」は、若者に開拓者精神を伝えた彼の言葉として知られている。

農学校のカリキュラムを整え終えたクラーク博士は、明治10（1877）に教頭の職を辞して帰国する。馬に乗り立ち去るクラークを、多くの生徒が別れを惜しんで見送った。この時、馬上から叫んだのがこの言葉だったとされるが、実際にクラークが喋ったのは、「**Boys, be ambitious like this old man**」である。「Boys, be ambitious」ならば「青年よ、大志を抱け」と訳して間違いはない。しかし、その後ろに「like this old man」がつづくと、意味はかなり違ってくる。「**この老人（自分）のように、みんなも頑張りなさい**」「私だって頑張っているのだから、若い君たちも頑張らないとダメだよ」といった感じだろうか。

開拓精神なんて大袈裟なものではなく、「**まあ、お互い頑張ろうや**」くらいの気持ちで言ったのだろう。だが、その十数年後、学校関係者はクラークは「青年よ、大志を抱け」と言ったと主張するようになる。有名人の言葉を都合よく切り取るのは、現代マスコミも得意とするところだが。

クラーク博士像

No.187

日露戦争で超人的な活躍をした軍人がモデル?

『ゴールデンカムイ』の主人公は実在する

明治時代の北海道を舞台にした漫画『ゴールデンカムイ』は、コミックス累計発行部数1500万部を突破する驚異的なヒット作となった。主人公の杉元佐一は「不死身の杉元」の異名で知られる元・日本兵。凄まじい戦闘力にくわえて、どんな重傷を負っても短期間で回復してしまう驚異的な生命力を誇る。

架空の人物と思いきや、実は、この漫画の作者・野田サトル氏の曽祖父の本名も**「杉本佐一」**で杉元とは一字違い。また、杉元と同じように徴兵で陸軍に召集され、**第7師団歩兵27連隊の兵士として日露戦争にも従軍**したという。作者は「あくまで名前を借りただけ」と、曽祖父が杉元のモデルであることを否定しているが、曽祖父も杉元に勝るとも劣らず、**超人的な活躍をしている**のだ。

第7師団は精鋭部隊として常に激戦地に投入され、旅順要塞攻略戦や奉天会戦では大量戦死者が発生している。作者の曽祖父が所属した部隊も、敵の大軍に包囲されて絶体絶命の事態に陥ったことがあった。この時、曽祖父は本隊へ援軍を要請してくるよう命令され、戦友と2人で敵の包囲網へ突進する。命じた上官も**「2人とも助からんだろうなぁ」**と、諦めていたミッションン・インポッシブル。だが、奇跡的に無傷で包囲網を突破したというのだから、杉元に負けず劣らずの不死身ぶりだ。すぐに援軍もやってきて部隊は危機を脱した。この活躍で曽祖父は二階級特進し、軍人にとっては**最高の栄誉である金鵄勲章《きんしくんしょう》**を授与されている。

No.188

ロンドンまで飛んだ日本軍の偵察機がある

2400キロの〝世界初〟長距離飛行の真の目的

戦前の日本陸海軍は、世界の軍隊のなかでも**偵察には一番熱心**だったかもしれない。昭和12年（1937）には、陸軍が世界初の戦略偵察機である**九七式司令部偵察機**を制式採用する。偵察に特化しており、当時としては驚異的な**2400キロの航続距離**を誇った。

そこに目をつけた朝日新聞社が、英国王ジョージ6世の戴冠式に合わせ、東京〜ロンドン間の記念飛行を企画し、陸軍に九七式司令部偵察機の提供を依頼する。当時まだ日欧の間に定期航路はなく、フランスもパリ〜東京間の飛行に失敗している。成功すれば**欧米の鼻を明かす快挙**。性能に自信があった陸軍は機材の提供を快諾する。

「神風号」と名付けられた機体は4月6日にロンドンに向けて立川飛行場を離陸。仏印やインド、アテネ、ローマなどで給油を行い、乗員の仮眠を取りながら、**約94時間をかけて4月9日にロンドンへ到着**している。飛行の成功に日本中が沸き、世界中で大きな話題にもなった。

しかし、陸軍はただのイベントのためだけに、大切な新型機を提供するほどお人好しではない。神風号の飛行ルートには、**アジアや中東にある英仏の軍事基地が点在**している。当然、神風号は本来の開発目的である偵察任務も行っていたはずだ。

東京〜ロンドンの飛行に成功した神風号

No. 189

日本の寒天が原因で、医療危機が発生

輸出規制のせいで細菌や微生物の研究が滞る

海藻の天草（テングサ）から作られる**寒天**は、精進料理や和菓子の材料として、日本人には馴染みの深い食材である。戦前は九州地方を中心に寒天作りがさかんに行われた。世界の**寒天生産は日本がほぼ独占**している状況だった。他国では食用としての需要がなく、これを製造しようという者がいなかったのだ。

だが、明治14年（1881）にドイツの医師ロベルト・コッホが、**寒天培地を使って細菌や微生物を増殖させる培養法を開発**し、各国の研究者もこれを取り入れるようになる。日本の寒天は世界中から求められ、**絹とならぶ重要な輸出品**となった。昭和時代になっても状況は変わらず、各国では寒天の需要を日本に頼っていた。

しかし、日中戦争の勃発により日本と米英の対決姿勢が強まり、石油などの戦略物資の対日禁輸措置が行われるようになると、日本側もその報復として**寒天の輸出を禁止**する。これには一定の効果があったようで、アメリカやイギリスなど各国では、寒天不足から予定していた研究ができなくなり、研究者たちは**「医学の危機だ」と悲鳴をあげた**。

だが、混乱はすぐに収まる。寒天の原料となる**紅藻類の海藻は、世界中の海に分布**している。各国ではこれを採種して製法を研究し、やがて急速冷凍法によって寒天を作る技術が確立する。日本以外の国々でも寒天が生産できるようになり、医学の危機は回避されたという。

アメリカ軍の旧式兵器を資材に使用⁉

東京タワーは、戦車でできている

No.190

昭和33年（1958）12月23日に東京タワーは竣工した。333メートルの高さは、それまで世界一を誇ったパリのエッフェル塔を約10メートル上回った。敗戦から十数年で世界記録を更新する建造物を完成させたことに、当時の人々は歓喜した。以来、**奇跡の戦後復興を遂げた平和国家・日本の象徴**として、国民に親しまれている。

しかし、この平和の象徴を建てるために使われた鉄骨が、多くの兵士を殺戮した兵器だったことを知る日本人は少ない。東京タワーの建設を開始するにあたって、**問題のひとつが鉄材の確保**だった。世界一高い塔を作るには4000トンの鉄が必要になるのだが、当時の日本では必要量の鉄を確保することができなかった。そこで廃材の再利用を思いつく。朝鮮戦争の補給基地として機能した日本各地の米軍基地には、大量の戦車が保管されていた。これを払い下げてもらい、タワーの建設材料として使うことにしたのである。

朝鮮戦争で使ったM46パットンなどの戦車は、旧式化して使い道がない。米軍も渡りに船と思ったのだろう。交渉はすぐにまとまり、**戦車は鉄屑として日本に払い下げられた**。これを製鉄会社の溶鉱炉で溶かして作られた鉄材が、**東京タワー全体の3分の1を占める**というから驚く。

東京タワーの鉄骨になったM46パットン

実現していれば〝東京〟ではなかった⁉

ディズニーランド〝富士山麓〟計画があった

No. 191

東京都と隣接する千葉県浦安市に、東京ディズニーランドが開園したのは昭和58年（1983）4月15日のこと。京成電鉄と三井不動産の合弁会社であるオリエンタルランドは、**沖合を埋め立てた舞浜地区**に住宅地や商業地を開発する計画を進めていた。そこに誘致しようとしたのが、世界一有名なレジャーランドである**アメリカのディズニーランド**だった。アジア初のディズニーランドが開園すれば、舞浜の知名度やイメージを向上させるのに計り知れない効果がある。

しかし、ディズニーランドの誘致には、他の企業も動いていた。三菱系のグループ企業が、三菱地所の所有する**富士山麓の広大な森**を開発して、ディズニーランドを開園しようとしていたのである。三菱銀行などと繋がりがある東宝は、ディズニー映画の日本国内配給元として関係も深い。その人脈を使って誘致争いは、三菱地所の所有する富士山麓に決まるだろうというのが大方の予想だった。

しかし、**最後はオリエンタルランドが大逆転**。昭和54年（1979）4月には、ディズニーとの業務提携契約にこぎつけた。なぜ、ディズニー側は、東京ディズニーランドの建設地に浦安の埋立地を選んだのか？考えられるのは**富士山の存在**。富士山は昔から日本人が信奉した霊山である。その神々しい眺めが人々に強烈なインパクトを与える。富士山が背景に聳《そび》えていることで**「夢と魔法の国」のイメージが損なわれるのを、嫌がった**からだといわれている。

No. 192

日本古来のことわざかと思いきや…

「豚に真珠」は聖書に由来することわざ

値打ちの分からない者に、価値のある物や高価な物を与えても無駄。昔からそれを意味することわざとして「豚に真珠」「ネコに小判」「馬の耳に念仏」などがある。

てっきりみんな日本由来のものと思いきや、実は、このなかには**聖書に由来するもの**がある。

新約聖書のマタイ伝7章6節には「Cast not pearls before swine」という一文があり、これを訳すと「**真珠を豚に投げ与えてはならない**」。これが「豚に真珠」のことわざの由来。もともとは聖書の教えだった。

キリスト教やユダヤ教が生まれた中東の地では、**ブタは不浄な動物**とされてきた。『旧約聖書』では、ブタを食べてはならないと書かれてもいる。そんな動物に、高価な真珠の価値など分かろうはずがない、と。その意味においても日本人の我々が使うことわざと同じ。この聖書の教えは、キリスト教とともにヨーロッパに伝わる。ブタを食べるヨーロッパ人はさすがに不浄な動物とは思わないまでも、愚かな生物として蔑んでいた。それだけに、ことわざの意味も変わることはない。

ちなみに聖書では、その後に「彼らはそれを踏みつけ、向き直って**あなたに噛みついてくるであろう**」という言葉がつづく。昔のブタはけっこう凶暴だったのか？　ブタに価値ある物を与えても無駄どころか、それが原因で災いを招くこともある……そういった意味にも考えられるのだが。

No.193

悪魔より神様の方が、大勢を殺している

両者の殺害数には数十万倍もの差

How many did God kill vs Satan?

つまり、**神と悪魔によって殺された人の数はどちらが多いのか?** その統計をグラフにしたサイトがある。それによれば、聖書の中で神の名の下に死んだ人々を数えてみたところ**203万8344人**にもなるという。一方、悪魔が殺害したのは**わずか10人**ということだ。

どうやってこの数字を算出したのかについては不明な点が多いのだが、とにかく圧倒的な差があることは間違いない。ノアの方舟伝説では神が起こした洪水は40日間もつづき、地上に生きていたものは方舟に乗っていた動物やノアの家族以外は死に絶えた。また、ソドムとゴモラのふたつの町の退廃ぶりに怒った神は、天から火と硫黄を降らせて滅ぼしてしまった。それらの大災害で死んだ人の数は、たしかに数百万単位になるのかも。その数を**2000万人以上と見積もっている研究もある**というから、ここであげられた数字はまだ遠慮気味なのかもしれない。

さらに中世のヨーロッパでは、**教会の主導による魔女狩り**で大量の罪なき人々が殺されている。多くの人々が激しい拷問で悪魔との契約を自白させられ、魔女裁判により処刑された。犠牲者の数は**おおよそ4〜6万人**といわれる。魔女の汚名を着せられて被害にあった人の数は**数百万といった単位になる**という説もある。また、信じる神が違えばそれが原因で戦争も起こったりするから、それまで数にくわえると犠牲者の数は、さらに膨大なものになりそうだ。

紀元前6世紀頃にはすでに地球球体説が登場

「地球は丸い」は、古代ギリシアの常識

No. 194

「我々が住む世界は球体で出来ているのではないか？」

　15世紀になると世界は平面状だという常識が揺らぎ、**地球球体説**が語られるようになる。それを証明するために、マゼランは世界一周の旅に出た。多くの船員の命が失われ、マゼラン自身も道中で命を落としている。そんな苦難の旅の末に、艦隊は1522年9月6日にスペインに帰国して、地球球体説は証明された。しかし、**地球が丸いということは、古代ギリシアの頃は常識だった**という……それを忘れていただけのこと。

　地動説など唱えれば異端者として処刑されるような状況下、中世ヨーロッパでは天文学の研究が停滞していた。しかし、キリスト教がまだ生まれていなかった古代ギリシアでは、地球の不思議や宇宙の神秘を自由に研究でき、学者たちは活発に意見を交換している。最初に地球球体説が唱えられたのは**紀元前6世紀**のことだといわれる。紀元前4世紀頃には**哲学者のプラトン**が、弟子たちに「**大地は丸い**」と教えていた。ギリシアの天文学思想を受け継いだローマ帝国でも、地球が丸いというのは常識だった。

　ちなみに、地球球体説は外国人宣教師によって**戦国時代の日本にも伝えられた**が、人々はまだ半信半疑。16世紀に輸入された中国の書物に球体説が見つかり、日本人もやっと信じたという。

プラトン

No.195

アメリカ大陸の発見者は、コロンブスではない

コロンブス自身は最後までインドだと誤解

1492年、クリストファー・コロンブスは、大西洋からの西廻りでインドに到達する新しい航路を開拓するために、スペインのパロス港を出帆した。そして、大西洋を横断して、この年の10月12日、アメリカ大陸フロリダ半島南端に近いバハマ諸島グアナハニ島に到達。10月12日は**コロンブスがアメリカ大陸を発見した日**として、多くの国で祝われている。

だが、コロンブスは先住民の浅黒い肌を見て「インド人だ!」と誤解し、**インドに到達した**と思い込んでいた。そのため、この海域の島々は西インド諸島と名づけられた。この後もコロンブスは4回も大西洋を横断して、南アメリカ大陸にも上陸したが、**彼は最後までその地をインドだと誤解**していた。

この後、他の冒険者たちも大西洋横断に挑戦するようになり「ここはインドとは違うのではないか?」と疑問視されるようになる。そして、16世紀初頭に地理学者**アメリゴ・ヴェスプッチ**の調査によって、そこは未知の新大陸ということが判明したのである。アメリカ大陸の命名も、このアメリゴの名にちなんだものだ。

広辞苑で「発見」と引くと「まだ知られていなかったものを、はじめて見つけ出すこと」とある。

そこから考えれば、未知の大陸であることに気がついた**アメリゴこそがアメリカの発見者**ということになる。しかし、その発見はあくまでヨーロッパ世界でのこと。アジアのモンゴロイドは**1万5000年前からすでにアメリカを発見**し、移住していたのだが……。

No.196

人類初の世界一周は部下が達成

マゼランは、実は世界一周していない

1522年9月6日、**ビクトリア号は世界一周を達成**してスペインのサンルーカル港に帰港した。毎年この日になると「マゼランの世界周航」を記念して様々な行事が催されているのだが、実は、**マゼラン本人は世界一周をやり遂げてはいない**。

1519年8月、マゼランはビクトリア号を旗艦とする5隻の艦隊でスペイン・セビリアの港を出帆、世界一周をめざして旅に出た。1520年には南アメリカ大陸の南端部に到達し、大陸とフエゴ島を隔てる水路を通り、太平洋へと抜ける**マゼラン海峡を発見**。壊血病や飢餓で多くの船員を失うなど、苦労の末にフィリピンに辿り着き、太平洋横断に成功したマゼランだったが、調子に乗りすぎた。

ここで強引なキリスト教の布教を行い、改宗を拒否したマクタン島に総攻撃を仕掛ける。島の住民たちは弓や竹槍で激しく応戦、**マゼランは毒矢に当って死んでしまった**。1521年4月27日のこと。船員たちは彼の死体を放置して島から撤退、スペインめざして世界一周の旅を再開する。出発した時には5隻の艦隊だったが、この時に残っていたのはビクトリア号が唯一。

船長には**ファン・セバスティアン・エルカーノ**が就任し、彼の指揮のもとでインド洋を横断、喜望峰を回って世界一周を完了させている。

エルカーノ

No. 197

ルソーが日本の軍歌を作曲していた

賛美歌から童謡、そして軍歌として採用

本書の47ページで変態的な素顔を紹介したジャン・ジャック・ルソーだが、**意外な方面で日本とのかかわり合いは深い**。

彼は多才の人でもあり、**音楽にも精通**して音楽評論に関する著書も多く出版している。また、自らオペラの作曲を手掛けたこともあり、1752年には彼が作った曲がパリのオペラ座で公演された『**村の占師**』の中で発表されている。実はその曲の**歌詞を替えたものが日本でも歌われている**のだ。

このルソーの曲は賛美歌の歌詞がつけられ、日本では明治時代初期から、各地の教会で歌われるようになっていた。それがやがて文部省の目にとまり、子ども向けの歌詞をつけて小学校の唱歌となる。それが、あの誰もが知っている『**むすんでひらいて**』である。

賛美歌や唱歌だけではない。**ルソーの曲は**他にも様々な方面で使われている。**日本陸軍の軍歌としても採用**され、明治28年（1895）には、『**旅順閉塞**』などを作詞した作詞家・鳥居《とりい》忱《まこと》が歌詞をつけ『**戦闘歌**』のタイトルで発表されている。勇壮な軍歌に、のんびりと平和的な『むすんでひらいて』の曲に合うのかと思いきや、歌詞が替わるとまた雰囲気が変わる。

オペラから賛美歌、軍歌と歌詞を選ばず馴染んでしまう……**ルソーって凄い作曲家**なのかも!?

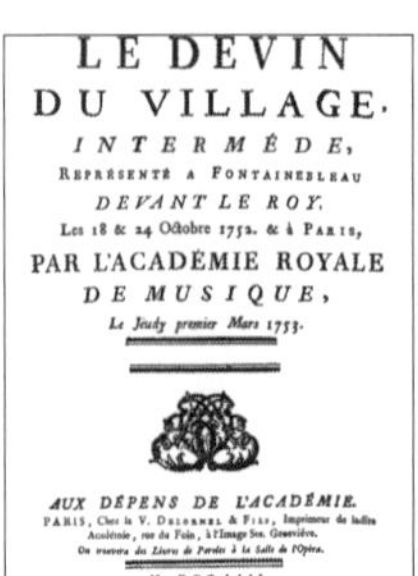

『村の占師』のパンフレット

ドイツが背負った超高額の賠償金、長すぎる支払い

第一次世界対戦の賠償金、2010年に完済

No.198

第一次世界大戦に敗れたドイツは、ヴェルサイユ条約により莫大な賠償金の支払いが決定した。その金額は、純金ベースで4万7256トン。**それまで人類が採掘した金の20〜30％**にあたる途方も無い量である。現代の貨幣価値で日本円に置き換えると**200〜300兆円**になるという。当初はこれを30年間で完済することになっていたが、その返済で戦後のドイツ経済は壊滅的状況に。悪性インフレが起こり、国民生活も困窮した。

さすがに戦勝国もこれではマズいと思ったようで、1930年に賠償金を現代の貨幣価値で**約51兆円**に減額。**支払期間も59年間に延長**され、**年間約8700億円の支払い**となった。しかし、1933年にドイツの政権を獲ったナチス党は外債の支払いを停止する。

ドイツは50兆円近い賠償を残したまま第二次世界大戦に突入したが、債権国は回収を諦めてはいない。戦後の1953年には当時の西ドイツと西側諸国の間でロンドン債務協定が締結され、これによって第二次世界大戦の賠償にくわえて、第一次世界大戦の賠償金残額の支払いを再開することも決まる。国際舞台への早期復帰をめざす敗戦国は、これを拒絶できなかった。

東西ドイツ統一後も支払いはつづき、**2010年10月3日**にアメリカへの最後の利子分**6990万ユーロ（約80億円）を払った**というから、完済したのはつい最近のこと。ヴェルサイユ条約が締結されてから数えると、91年の歳月が過ぎている。

本来の意味は「努力」「奮闘」…「ジハード」を「聖戦」と訳すのは誤り

No. 199

イスラム原理主義組織がテロや紛争を起こす時に唱える「**ジハード**」を、日本のマスコミなどはよく「**聖戦**」と訳している。しかし、本来これはアラビア語で「**努力**」「**奮闘**」といった意味の言葉。イスラム教の聖典であるコーランには「**神の道において奮闘（ジハード）せよ**」と書かれている。つまり、正しいイスラム教徒となるために、あらゆることにおいて努力や奮闘を惜しまず、書物を読み賢人の説法を聞いて学ぶこと、正しい行いをすること、それすべてジハードなのだ。**イスラム教徒にとっては重要な義務**とされている。

異教徒の侵略に対して戦う。これもイスラム教徒が行うべき努力であり、ジハードに戦争が含まれていることは否定できない。しかし、近年になるとその狭義だけがクローズアップされてしまう。

2001年にアメリカ同時多発テロを起こした国際テロ組織アルカイダは「**グローバル・ジハード**」を提唱し、それに賛同する過激派のテロが頻発した。

この状況を見た日本では、**ジハードという言葉に戦争やテロを強くイメージ**するようなった。マスコミもまたそのイメージに引きずられて、新聞記事や雑誌などではよく「ジハード（聖戦）」といった表記がされるようになった。そのため、

「ジハードっていうのは、アラビア語で〝聖戦〟って意味だよね」

と、本来の言葉の意味とはまったく違う解釈が、日本では常識としてまかり通っている。

異民族が襲来するから警戒せよ…

「天高く馬肥ゆる秋」は、不吉な予言

No. 200

「**天高く馬肥ゆる秋**」

故事ことわざ辞典には、**秋の快適な季節**を表現する言葉だと解説されている。秋は空気が澄み渡って空が高く感じられる。その空の下では農作物が豊かに実り、馬が肥えるほどに食料があふれている、ということだ。

この故事成語は、中国唐代の詩人・**杜審言**《としんげん》が書いた「**蘇味道**《そみどう》**に贈る**」という漢詩の一節を抜粋したものだ。この箇所だけなら、たしかに清々しい秋の空がイメージできるかもしれない。が、文脈を読んでゆくと、むしろ**怖くて不気味な言葉に思えてくる**のだ。杜審言の原文では「雲浄妖星落　秋高塞馬肥」となっている。

「雲浄《きよ》くして妖星《ようせい》は落ち、秋高くして塞馬《さいば》肥《こ》ゆ」

と、いうことだ。〝妖星〟は昔から**中国では不吉を意味する言葉**である。また〝塞馬〟は**北方の馬を**意味するという。

中国の北方に広がる草原は、**匈奴**《きょうど》**や鮮卑**《せんぴ》**といった遊牧の異民族**が住む地。古代から中国人が最も警戒する方角である。農作物が収穫される秋になれば、北方の遊牧民がそれを狙って南下してくる。彼らの騎馬軍団は疾風のごとく村々を襲撃し、人を殺し食物を奪う。それが毎年のように繰り返されてきた。

つまり、杜審言は詩のなかで「禍々《まがまが》しい災いが迫っている。**肥えて大きな馬に乗った異民族がやってくるから警戒しろ**」と言って、人々に警戒を呼びかけていたのである。

No. 201

清の役人は、銀を尻の穴に隠して横領

荒稼ぎの代償は、肛門の損傷

中国の歴代王朝では、**役人による不正経理や横領**がよく行われた。清帝国の役人たちもまた、役得とばかり任期中には不正蓄財に励んでいたという。当時の中国で正貨として流通していた銀を保管する銀庫を管理する役人たちは、**とくに倫理観が希薄でやりたい放題**。長官から衛兵にいたるまで、スキあらばと**銀庫に保管された銀を盗んで家に持ち帰る**。

年間にかなりの額になる銀が消えて、帳簿がまったく合わなくなる。清朝政府もその対策に本腰入れて、官庁の出入り口では仕事を終えて帰宅する役人たちの身体検査を開始。不正に銀を持ち出してないか徹底的に調べるようになる。だが、欲にくらんだ役人たちは驚くべき手段で、厳重なチェックをくぐり抜けて銀を盗みつづけた。

身体検査で丸裸にされてもバレないように、**肛門の中に銀塊を挿入して運んだ**のである。任期中に少しでも多くの銀を持ち出そうと、銀庫の担当になった者たちは肛門拡張にも励んだという。

鶏の卵に胡麻油を塗って、これが入るように毎日トレーニングに励む。修行すれば**アヒルの卵、ガチョウの卵**など、しだいに大きな物が入るようになる。重さに耐える訓練も必要なので、**鉄球を使って励む者もいた**。そんな修行の結果、通常3年の任期で、末端の役人でも**生涯遊んで暮らせるほど稼げた**というから凄い。

しかし、酷使された肛門の損傷は激しく、大半の者が脱肛や脱腸などの症状に生涯苦しむことになったという。

No. 202

川に流れ込む○○を食べると脂が乗る

上海ガニは、戦乱のときに美味しくなる

上海ガニはフカヒレなどとならぶ**中華料理の高級食材**。上海や香港のレストランでは、旬の時期になると山のように大皿に盛られたカニを食べまくる人々をよく目にする。美食家たちの間では、欠かすことのできない秋の風物詩となっている。

上海ガニの学名は「**チュウゴクモクズガニ**」と言って、中国から朝鮮半島東岸の淡水に棲息する川蟹だ。中国では4000年前からこのカニを食べていたといわれる。上海に欧米列強の租界が建設され大都市に発展した19世紀には、すっかり上海名物として定着する。近年は養殖もさかんで、世界各地へカニを輸出するようにもなっている。

上海ガニの味は年によって当たり外れが大きいといわれているが、中国では昔から**戦争や大きな災害が起きる**と、その年の**上海ガニは美味しくなる**とされている。上海ガニは小さな甲殻類や貝類、小魚、昆虫、水草など何でも食べる雑食性。戦争や災害が起きれば、川や湖水にも大量の死体が流れ込み、カニたちは豊富な食料を得ることができる。結果、**脂がよく乗った美味しいカニに育つ**というのだ。

不気味な話ではあるが、近年の養殖場は水質汚染によりカニから**ダイオキシンが検出**されるケースが増えているという。それと比べたら実害はない、か？

上海ガニ

主要参考文献

山本明『決定版　知れば知るほど面白い！　江戸三百藩』（西東社）

『決定版　面白いほどよくわかる！　家紋と名字』（西東社）

檜谷明彦『江戸時代の事件帳』（ＰＨＰ）

芳賀登『幕末志士の世界』（雄山閣）

児玉幸多・北島正元『藩史総覧』（新人物往来社）

池田清『日本の海軍　上・下』（学研）

倉野憲司『古事記』（岩波書店）

福永武彦『現代語訳　日本書紀』（河出書房新社）

上田正昭『渡来の古代史　国のかたちをつくったのは誰か』（ＫＡＤＯＫＡＷＡ）

出口汪『本当は怖い漢字の本』（水王舎）

デイヴィット・Ｓ・キダ他『1日1ページ、読むだけで身につく世界の教養365』（文響社）

加来耕三『失敗の歴史学』（日経ＢＰ）

播田安弘『日本史サイエンス』（講談社）

大久保忠国・木下和子『江戸語辞典　新装普及版』（東京堂出版）

大野晋『日本語の教室』（岩波書店）

菊川征司『異説で解き明かす近現代世界史』（イースト・プレス）
山﨑圭一『一度読んだら絶対に忘れない　世界史人物事典』（SBクリエイティブ）
滝乃みわこ『東大名誉教授がおしえる　やばい世界史』（ダイヤモンド社）
八幡和郎『365日でわかる世界史　世界200カ国の歴史を「読む事典」』（清談社）
石弘之『感染症の世界史』（KADOKWA）
本村凌二『興亡の世界史　地中海世界とローマ帝国』（講談社）
渡辺精一『中国古代史　司馬遷「史記」の世界』（KADOKAWA）
麻生川静男『本当に残酷な中国史　大著「資治通鑑」を読み解く』（KADOKAWA）
瑞穂れい子『残酷の世界史』（河出書房新社）
堀江宏樹『本当は怖い世界史』（三笠書房）
森島恒雄『魔女狩り』（岩波書店）
歴史の謎を探る会『イギリス　じつは血塗られた闇の歴史』（河出書房新社）
福井憲彦『近代ヨーロッパ史』（筑摩書房）
倉山満『世界の歴史はウソばかり』（ビジネス社）
小林幸雄『図説イングランド海軍の歴史』（原書房）
水戸計『教科書には載っていない！　江戸の大誤解』（彩図社）
熊谷充晃『教科書には載っていない！　戦国時代の大誤解』（彩図社）

著者紹介
青山誠（あおやま・まこと）
大阪芸術大学卒業。著書に『江戸三〇〇藩城下町をゆく』（双葉社）、『戦術の日本史』（宝島社）、『金栗四三と田畑政治』（中経の文庫）、『戦艦大和の収支決算報告』『太平洋戦争の収支決算報告』（彩図社）などがある。雑誌『Shi-Ba』で「日本地犬紀行」、web「さんたつ」で「街の歌が聴こえる」を連載中。

ウソみたいだけど本当にあった **歴史雑学**

2021年 4 月23日　第1刷
2022年12月28日　第2刷

著　者　青山誠

発行人　山田有司

発行所　株式会社　彩図社
東京都豊島区南大塚 3-24-4
MTビル　〒170-0005
TEL：03-5985-8213　FAX：03-5985-8224

印刷所　シナノ印刷株式会社

URL https://www.saiz.co.jp　Twitter https://twitter.com/saiz_sha

　ISBN978-4-8013-0515-1 C0020